9,95

DE GRENZEN VAN DE WET

Van Scott Turow zijn verschenen:

De aanklager (Presumed Innocent)*
De beschuldiging*
Het bewijs*
De wet van de macht*
Smartengeld*
Cassatie*
Doodgewone helden
De grenzen van de wet

*In POEMA-POCKET verschenen

SCOTT TUROW

DE GRENZEN VAN DE WET

Vertaald door J.J. de Wit

UITGEVERIJ LUITINGH

Oorspronkelijke titel: *Limitations*
Vertaling: J.J. de Wit
Omslagontwerp: Pete Teboskins
Omslagfotografie: Corbis

ISBN 978 90 245 0924 9
NUR 305

www.boekenwereld.com

Voor Vivian en Richard

Over hun grif begane zonden
Horen zondaars minder graag.

SHAKESPEARE

Pericles, Eerste bedrijf, scène 1

1

HET PLEIDOOI

'Ik moge het hof dan ook verzoeken,' zegt Jordan Sapperstein met zijn meest sonore stemgeluid, 'om vernietiging van het vonnis. Een andere keuze hebt u niet.'

Gezeten achter de notenhouten verhoging op vier meter afstand van de man onderdrukt rechter George Mason de neiging zijn gezicht pijnlijk te vertrekken bij Sappersteins dramatiek. De rechter aarzelt zelden raadslieden te laten weten wanneer hun beweringen niet overtuigend zijn, maar gezichten trekken (heeft hij vroeger als jongen in Virginia van zijn vader geleerd) is gewoon onbeschaafd. In feite schrikt de zaak zelf, De staat tegen Jacob Warnovits c.s., George Mason meer af dan het optreden van de beroemde strafpleiter die nu aan zijn mondelinge toelichting begint. Voordat hij op zijn zevenenveertigste rechter werd, is George zelf strafpleiter geweest, voortdurend in de greep van zijn tegenstrijdige gevoelens van walging, geamuseerdheid, fascinatie en jaloezie tegenover degenen die de wet overtraden. Maar sinds het hof, nu vijf weken terug, de willekeurige beslissing heeft genomen hem op Warnovits c.s. te zetten, worstelt hij met zijn taak. Het heeft hem de grootste moeite gekost de pleitnota's door te lezen, en het procesverslag van de behandeling in eerste aanleg voor de rechtbank van Kindle County, die de vier jonge verdachten negentien maanden terug als schuldig aan verkrachting heeft veroordeeld tot de op het delict gestelde minimumstraf van zes jaar. Nu denkt de rechter wat hij elke keer denkt als hij met tegenzin aan de zaak wordt herinnerd: lastige zaken leiden tot slechte vonnissen.

Als voorzitter van de drievoudige kamer neemt rechter Mason, in zijn inktzwarte toga, op de brede verhoging de centrale plaats in tussen zijn beide collega's. Rechter Summerset Purfoyle, met zijn door de jaren geëtste notenbruine gezicht en wijduitstaande witte haar, bezit nu misschien een voornamer allure dan in zijn dagen als succesvolle zanger van soul ballads. De andere rechter, Nathan Koll, een kleine, gezette man met een bolle onderkin in de vorm van een croissant, heeft Sapperstein vanaf zijn eerste woord strak en dreigend aangestaard.

Achter de advocaten, in het voor publiek bestemde deel van de rechtszaal, hebben de parketwachten zoveel mogelijk toeschouwers uit de rij wachtenden voor de deur laten plaatsnemen op de notenhouten banken, zodat er op deze warme dag in de eerste week van juni een benauwde lucht in de zaal hangt. Op de voorste rij zitten de gehaast werkende rechtbankverslaggevers en rechtbanktekenaars. Achter hen hebben de belangstellenden – rechtenstudenten, vaste bezoekers, vrienden van de verdachten en supporters van het slachtoffer – er nu hun volle aandacht bij, nadat ze drie civiele zaken hebben uitgezeten die de meervoudige kamer eerder die ochtend heeft behandeld. Zelfs het statige karakter van de rechtszaal, met zijn ossenbloedkleurige marmeren zuilen die twee verdiepingen hoog oprijzen naar het gewelfde plafond, en lijsten met vergulde rococokrullen, kan de geladen stemming amper temperen. Er heerst al enige tijd een levendige meningenstrijd rond de zaak-Warnovits, die een complexe betekenis heeft aangenomen voor duizenden mensen die niets weten van de juridische principes die hier op het spel staan, laat staan van de onderliggende feiten.

Het slachtoffer van het delict is Mindy DeBoyer, al wordt haar naam, omdat ze als slachtoffer van een verkrachting wordt behandeld, in de talrijke publicaties nooit genoemd. Meer dan zeven jaar geleden, in 1999, was Mindy vijftien jaar en een van de aanwezigen op een wild feest van het ijshockeyteam van een middelbare school, de Glen Brae High School. Eerder die dag hadden de jongens van Glen Brae de finale om het kampioenschap van de staat verloren. De spelers hadden de pest in (in zes dagen zes wedstrijden gespeeld, en net naast de titel gegrepen) en het feest ten huize van de reserveaanvoerder, Jacob Warnovits, wiens ouders naar een bruiloft in New York waren afgereisd, was meteen al uit de hand gelopen. Mindy DeBoyer was volgens haar eigen verklaring 'totaal van de wereld' door de combinatie van rum en een pil van Warnovits, en was in zijn kamer buiten westen geraakt.

Warnovits had verklaard dat hij haar daar had aangetroffen en dat hij Mindy's positie, als die van Goudlokje in het bed van een van de beren, als uitnodiging had opgevat. Die uitleg was duidelijk afgewezen door de jury, waarschijnlijk omdat Warnovits drie andere leden van het team had uitgenodigd om de bewusteloze jonge vrouw te verkrachten, die evenveel teken van leven vertoonde als een lappenpop. Warnovits had elke verkrachting vastgelegd op videotape, waarbij hij de camera vaak op zo groteske wijze had gebruikt dat zelfs een pornograaf ervan zou opkijken. De soundtrack, met een schunnig commentaar van Warnovits, eindigde na ruim vijftig minuten met de opdracht aan zijn vrienden om Mindy de kamer uit te werken 'en niet te lullen'.

Toen Mindy DeBoyer de volgende ochtend om een uur of vijf in de huiskamer wakker was geworden, in de stank van lege bierblikjes en volle asbakken, had ze er geen idee van gehad wat er was gebeurd. Seksueel onervaren, maar wel voorgelicht, besefte ze dat ze stevig te grazen was genomen, en ze merkte ook dat ze haar rok achterstevoren aanhad. Maar ze kon zich niets herinneren van wat er in de loop van de avond of nacht was gebeurd. Ze was naar buiten geslopen en had thuis met andere leerlingen gebeld die ze op het feest had gezien, maar niemand had Mindy kunnen vertellen met wie ze was meegegaan. Tegenover haar beste vriendin, Vera Hartal, had Mindy DeBoyer zich afgevraagd of ze misschien was verkracht. Maar ze was vijftien en schrok ervoor terug naar een volwassene te gaan of uit te leggen waar ze de nacht had doorgebracht. Mettertijd had ze de zaak van zich afgezet en was erover blijven zwijgen.

Het leven was verdergegaan. De vier jongens waren na hun eindexamen gaan studeren, net als Mindy twee en een half jaar later. Jacob Warnovits, die er steeds geruster op was geworden dat hem niets kon gebeuren, kon soms de verleiding niet weerstaan zijn medestudenten de tape te laten zien. Een eerstejaars corpskandidaat, Michael Willets, bleek de familie DeBoyer te kennen, en na een lang gesprek met zijn zus bracht hij de politie op de hoogte, die zich met een bevel tot huiszoeking bij het studentenhuis had gemeld. Mindy DeBoyer had de tape met ontzetting bekeken en op 14 januari 2003 waren Warnovits en de drie andere jongemannen in staat van beschuldiging gesteld.

Volgens George Mason is nu de voornaamste juridische vraag of hier de verjaringswet van toepassing is, die normaal gesproken uitsluit dat meer dan drie jaar na een misdrijf nog rechtsvervolging wordt ingesteld. Maar er is ook een maatschappelijk aspect aan de zaak: Mindy DeBoyer is zwart en dat maakt het lastig. Net als de jongens die haar hebben verkracht, komt ze uit een welgesteld milieu, maar haar ouders, een jurist en een bedrijfskundige, hebben het in hun eerste verontwaardiging niet kunnen laten zich publiekelijk af te vragen of een blanke jonge vrouw onder gelijke omstandigheden op dezelfde manier was bejegend in Glen Brae, een buitenwijk waar de integratie maar moeizaam doorgang heeft gevonden.

Door de beschuldiging van discriminatie is de toon in Glen Brae verhard. Kennissen van de vier jongens hebben beweerd dat de jongens in de vernieling zullen worden geholpen, lang na het begaan van een delict waaronder het slachtoffer niet echt heeft geleden. Zij hebben laten doorschemeren dat het hier om een rassenkwestie gaat, waarbij mannen worden gestraft voor misdragingen die ze als kind hebben begaan. De heftige debatten tussen buren hebben de media bereikt, waarbij het standpunt van de DeBoyers duidelijk de overhand heeft gekregen. In de meeste berichten worden de verdachten neergezet als verwende rijke jongens die bijna de dans waren ontsprongen na een nacht van beestachtig vermaak in de slavenhut, ook al komt in de schunnige termen waarin de jongens over Mindy spreken geen enkele racistische opmerking voor.

Door de ophef zijn de jongemannen tot de behandeling van hun beroep op borg vrij gebleven; en nu zitten ze, alle vier rond de vijfentwintig, naast de journalisten op de voorste rij. Hun lot ligt in de handen van Jordan Sapperstein die, in een crèmekleurig pak met brede zwarte strepen, veel staat te gebaren en zijn lange, kroezend grijze pagekapsel gebruikt om zijn woorden kracht bij te zetten. Rechter Mason heeft nooit helemaal begrepen wat iemand uitdrukt door het kapsel van George W. te imiteren, maar Sapperstein is wat Patrice, de vrouw van de rechter, in een kritische stemming graag aanduidt als een tv-advocaat.

Sapperstein, die oorspronkelijk uit Californië komt, heeft twintig jaar terug naam gemaakt door als hoogleraar aan Stanford twee verbijsterende overwinningen bij het hooggerechtshof van de Verenigde Staten te boeken. Sindsdien is hij een juridische beroemdheid gebleven dankzij zijn bereidheid gedurende een halve minuut een hoge borst op te zetten zodra het rode cameralampje is aangefloept. Hij verschijnt geregeld bij CNN, *Meet the Press* en Court TV en duikt zo vaak op dat je hem bijna in de achtergrond verwacht als je de voetbalwedstrijd van je nichtje op de video vastlegt. De radeloze families van de Vier van Glen Brae zouden hem enkele honderdduizenden dollars hebben betaald om in deze beroepszaak op te treden.

In sommige samenstellingen van het hof, vermoedt George, zou Sappersteins naamsbekendheid een plus kunnen betekenen, door dekking te bieden aan een rechter die geneigd is het vonnis te vernietigen. Maar hier niet. Sappersteins reputatie werkt als een rode lap op een stier bij Georges collega Nathan Koll. Koll, die als geacht faculteitslid van de Easton Law School de universiteit heeft verlaten om vijf jaar bij het hof te werken, behandelt advocaten het liefst alsof ze college bij hem lopen: geestdriftig bestookt hij ze met sluwe hypothetische vragen die erop gericht zijn hun stellingen te ondermijnen. Grappenmakers hebben deze vorm van socratisch academisch bevragen allang 'het spel met maar één speler' genoemd en ook nu bestaat er geen mogelijkheid van Nathan te winnen. In feite staat voor hem bij elke zaak, ongeacht het onderwerp, dezelfde kwestie ter discussie: bewijzen dat hij de scherpzinnigste jurist in de zaal is. Misschien zelfs in het heelal. George weet niet zeker waar de grens ligt van Nathans grootheidswaan.

Hoe dan ook, Koll levert, met zijn kroegstem en tot spleetjes toegeknepen ondervragersogen, een goede acteursprestatie, en hij valt Sapperstein aan, niet lang nadat de raadsman zijn pleidooi is begonnen met een citaat van een eminente juridische commentator, gekruid met uitspraken van het hooggerechtshof.

'Verjaringsgronden bij ernstige misdrijven, zoals "aangetroffen in alle systemen van verlichte jurisprudentie", vloeien voort uit een wetgevend oordeel dat de zedelijke ernst van een vergrijp kan worden afgemeten aan de drang waarmee bestraffing wordt nagestreefd. "De algemene ervaring van de mensheid" is dat echte misdrijven "gewoonlijk niet de gelegenheid krijgen veronachtzaamd te blijven",' oreert Sapperstein.

'Integendeel, integendeel,' zegt Koll onmiddellijk. Zelfs zittend doet hij George denken aan een linebacker die zich concentreert voor een tackle: naar voren gebogen, de vierkante handen breed gespreid als om een poging hem te ontwijken te verhinderen. 'Verjaringstermijnen, mr. Sapperstein, komen in essentie voort uit bezorgdheid over mettertijd optredend geheugenverval en het verspreid raken van bewijsmateriaal. Waarover wij ons in dit geval geen zorgen hoeven te maken, omdat er een video-opname van het delict bestaat.'

Sapperstein laat zich niet onbetuigd en het academische steekspel tussen rechter en advocaat houdt minutenlang aan: twee juridische pauwen die hun staart uitspreiden. Naar Georges idee zijn de opvattingen van beroemde rechtsgeleerden over de vraag waarom de Anglo-Amerikaanse jurisprudentie positief staat tegenover het instituut van verjaringstermijnen hier weinig relevant. Het enige feit dat telt is dat de wetgever in deze staat een verjaringswet heeft aangenomen. Als rechter beschouwt George het als zijn voornaamste taak elke twijfel weg te nemen over de betekenis van de woorden die de wetgever heeft gebruikt.

Normaal gesproken zou hij met die opmerking de discussie hebben onderbroken, maar alles in aanmerking genomen geeft hij er de voorkeur aan bij deze zaak zijn afstand te bewaren. Bovendien is het zelden eenvoudig een interruptie te plaatsen op een zitting met Nathan Koll. Rechter Purfoyle, die rechts van George zit, heeft op zijn gele schrijfblok al diverse vragen genoteerd, maar Koll heeft het woord nog niet afgestaan, ondanks enkele hoffelijke pogingen van Summer.

Georges aandacht wordt al spoedig afgeleid door de niet bepaald geluidloze entree van een van zijn twee griffiers, Cassandra Oakey. Cassie kan nergens binnenkomen zonder de aandacht van de aanwezigen op zichzelf te vestigen; daar is ze te energiek, te lang en te knap voor. Maar terwijl ze naar haar tafel voor in de zaal stormt, beseft George dat ze niet, zoals hij had kunnen verwachten, gewoon te laat is gekomen. Cassie richt haar grote, donkere ogen vragend op hem en hij ziet dat ze een papiertje in haar hand heeft. Patrice, denkt hij. Dit overkomt George Mason elke dag een paar keer. Als hij opgaat in zijn professionele bezigheden, die hem altijd als de lokroep van de sirene in de oren klinken, voelt hij zich geschokt en egoïstisch zodra hij beseft: Patrice heeft kanker. Ze ligt nu twee dagen in het ziekenhuis voor postoperatieve radioactieve behandeling, en hij is onmiddellijk bang dat het mis is.

Cassie sluipt naar Marcus toe, Georges gerechtsbode met de witte bakkebaarden, die het papier doorschuift. Maar het onderwerp, ziet George, is niet zijn vrouw, maar zijn eigen welzijn. Zijn secretaresse Dineesha heeft geschreven:

We hebben opnieuw gehoord van de Fanaat. Marina wil je graag op de hoogte brengen van wat ze van de FBI te weten is gekomen, maar ze moet om één uur weg. Kun je het raadkameroverleg een halfuur verzetten om haar aan te horen?

George heft zijn wijsvinger in de richting van Cassie om even respijt te vragen. Koll heeft nu de aanval op Sappersteins andere hoofdargument ingezet: dat de videoband van het zedenmisdrijf te expliciet en hitsig was om zonder aanzienlijke coupures aan de jury te laten zien, zeker in volledige vorm, zonder weglating van het ontuchtige onderlinge vertoon van hun geslacht door de jongens en Warnovits' gynaecologische cameraverkenningen van Mindy.

'U voert niet aan,' zegt Koll, 'dat de videoband, althans in enigerlei vorm, ontoelaatbaar bewijs was?'

'Meneer, de videoband zoals de jury die te zien heeft gekregen, had niet als bewijs mogen worden toegelaten.'

'Maar alleen op grond van het te schadelijke karakter van bepaalde elementen?'

Sapperstein heeft vaak genoeg in de rechtszaal gestaan om aan te voelen dat dit bedoeld is om hem in de val te lokken, maar zijn ontwijkende antwoorden maken Koll alleen nog fanatieker in zijn poging hem te verpletteren.

Mooi geweest, denkt George. Hij kijkt naar de griffierstafel. Daar heeft John Banion, de andere griffier van de rechter, zijn vinger op de knopjes waarmee hij de gekleurde waarschuwingslampjes boven de lessenaar kan laten branden die aangeven hoeveel spreektijd de raadsman nog heeft. Voor Sapperstein brandt nu het oranje middelste lampje. Banion, een vlezige man van in de veertig, wordt achter zijn rug door de collega's aangeduid als 'de Droid' omdat hij zo ongenaakbaar is als een heremiet. Maar al jaren heeft John bewezen volmaakt afgestemd te zijn op de behoeften van de rechter; George hoeft maar half te knikken om te bewerkstelligen dat John het rode licht aandoet om aan te geven dat Sapperstein door zijn spreektijd heen is.

'Dank u, mr. Sapperstein,' zegt George, waardoor hij hem halverwege zijn zin het zwijgen oplegt.

Bij de verste advocatentafel, dichter bij de griffiers, komt de dienstdoende openbare aanklager van Kindle County, Tommy Molto, overeind met een slordige stapel papier in zijn hand om te antwoorden uit naam van de staat. George verzoekt hem een ogenblik te wachten en bedekt zijn microfoon, een zwart knopje op een zwarte steel, om eerst onderling te overleggen met Purfoyle en dan met Koll. Koll brengt het niet op er vriendelijk bij te kijken, maar net als Purfoyle staat hij George toe het overleg in de raadkamer, dat anders aansluitend op het laatste betoog zou plaatsvinden, een halfuur op te schuiven. Daarna zullen de drie rechters beslissen over de zaken die die ochtend zijn behandeld en onder elkaar verdelen wie de motivering van de vonnissen schrijft.

'Geef Dineesha maar door dat ik Marina zal ontvangen,'

zegt de rechter tegen Cassie, nadat hij haar heeft gewenkt. Cassie wil al weggaan, maar George houdt haar tegen. 'Wat heeft de Fanaat gezegd?'

Haar bruine ogen kijken opzij en ze schudt haar korte, steile blonde haar.

'Meer van dezelfde onzin,' fluistert ze ten slotte.

'Meer goede wensen voor mijn gezondheid en geluk?' vraagt George, waarbij hij zich afvraagt of zijn grap moedig of lichtzinnig klinkt.

'Nou ja,' zegt ze.

Maar haar terughoudendheid prikkelt hem en hij gebaart om nadere uitleg.

'Hij, zij, het, wie dan ook, heeft een link gestuurd,' antwoordt Cassie.

'Een link?'

'Naar een website.'

'Wat voor website?'

Nu fronst Cassie. 'Hij heet Dodenwake,' antwoordt ze.

2

DE FANAAT

Rechter George Mason is in het laatste jaar van zijn termijn van tien jaar bij het hof van beroep van de staat in het derde appeldistrict, een gebied dat ruwweg overeenkomt met de regio Kindle County. De kans om zich kandidaat te stellen als rechter in het hof had zich onverwachts voorgedaan, een jaar nadat hij was gekozen als rechter bij de rechtbank waaraan hij beneden in ditzelfde gebouw strafzaken in eerste aanleg behandelde. Veel vrienden hadden hem de overgang naar het hof ontraden en hem voorspeld dat hij dit een geïsoleerd en passief bestaan zou vinden, na een carrière aan de frontlinie van het strafrecht, maar hij heeft zijn draai heel goed kunnen vinden: argumenten aanhoren, nadenken over pleidooien en precedenten, vonnissen schrijven. Het recht heeft George

Mason altijd voor de fundamentele raadsels gesteld die het leven hem vraagt op te lossen.

In Virginia was het recht een traditie in zijn familie, die terugging tot zijn grote naamgenoot, de beroemde medeoprichter van de Verenigde Staten George Mason IV – de man die de rechter als de echte George Mason beschouwt. Tijdens zijn voorstudie in Charlottesville was een juridische carrière een van de vele zwaarwegende verwachtingen van zijn ouders waaraan hij wilde ontsnappen. Zodra hij zijn diploma had behaald, is hij naar het noorden gevlucht, waar hij twee jaar als matroos op een kolenschuit heeft gevaren om niet voor Vietnam te worden opgeroepen. Zijn schip bevoer de rivier de Kindle en de grote meren, en tijdens de eenzame uren van de wacht, als hij tot taak had uit te kijken over de wateren die zich even eindeloos voor hem uitstrekten als het volwassen leven dat voor hem lag, is hij met een schok tot de ontdekking gekomen dat de kwesties van goed en kwaad, van recht en macht, die elke avond aan de eettafel van zijn vader werden geanalyseerd, hem nog altijd bezighielden. Na zijn afmonstering is hij hier vol enthousiasme aan de rechtenstudie aan de Easton Law School begonnen en, zodra hij zijn bul had, aan het werk gegaan als toevoegingsadvocaat. Hij heeft met volle teugen genoten van de ruige extremen van de misdaad, het schrille contrast met het leven waarvoor hij in de wieg was gelegd, al heeft zijn charme als heer uit het zuiden zeker bijgedragen tot zijn succes. Met zijn blazer met gouden knopen, *pennyloafers* en lome, welluidende stem leek hij alle aandacht in de rechtszaal naar zich toe te trekken, alsof zijn aanwezigheid iedereen: politiemensen en rechters, aanklagers en rechtbankpersoneel, het geruststellende gevoel gaf dat geen van hen thuishoorde in de wereld van pijn, woede en onwetendheid waaruit misdrijven voortkwamen. Hij was de enige die besefte dat zijn optreden een parodie was.

Zo is hij doorgegaan, niet echt thuis in deze wereld, maar zeker ook niet in de wereld die hij de rug heeft toegekeerd. Hij was zo populair bij zijn collega's dat hij eind jaren tachtig tot voorzitter van de balie in Kindle County werd gekozen. Hij bleef succesvol en gerespecteerd, al is hij nooit de eerste keus als raadsman geworden in deze stad waar voor een gecompliceerde strafzaak altijd het eerst een beroep werd gedaan op zijn vriend Sandy Stern. Naarmate het werk George meer ging tegenstaan, voelde hij een ambitie bij zich opkomen die zijn vader nooit had gehad: rechter worden. Veel kans maakte hij niet, want hij had nooit een geheim gemaakt van zijn minachting voor de gladde praatjes van de partijleiders die over zulke zaken beslisten. Hij nam aan dat hij allang zijn eigen glazen had ingegooid toen hij er eind 1992 in toestemde een advocaat te verdedigen die in ruil voor strafvermindering als federaal getuige optrad en met zijn geheime geluidsopnamen belastend bewijsmateriaal tegen zes rechters en negen advocaten had verzameld in een omkoopschandaal dat als een verwoestende brand door de rechtbanken en hoven van Kindle County was gegaan. In plaats daarvan was George (waaruit bleek dat het leven steeds weer elke verwachting tart) beschouwd als toonbeeld van de onafhankelijke advocaat en de politici, die met een krachtig gebaar de verontwaardiging over het schandaal wilden neutraliseren, drongen er sterk bij hem op aan dat hij zich kandidaat zou stellen voor het ambt van rechter. In 1994 behaalde hij de meeste stemmen, een resultaat dat hij in 1996 nog overtrof door andere kandidaten met meer ervaring te verslaan toen er een vacature bij het hof van beroep was.

Aangenomen dat George zijn werk wil voortzetten, zal er bij de verkiezingen van komende november op het stembiljet een ja-neevraag voorkomen: 'Moet George Thomas Mason worden gehandhaafd voor een nieuwe termijn van tien jaar als rechter bij het gerechtshof?' Zo nu en dan, bij het lezen van het verslag van een zitting, zou hij graag weer eens een onwillige getuige onderwerpen aan een kruisverhoor, en hij betreurt geregeld de beperkingen van een overheidssalaris. Af en toe zijn er ogenblikken – wanneer hij de scheidsrechters in Trappers Park de huid wil vol schelden, of zonder een spier te vertrekken bepaalde grappen moet aanhoren – dat hij zich gevangen voelt door het decorum dat zijn rol met zich meebrengt. Toch heeft hij, tot Patrice ziek werd, nooit betwijfeld dat hij zich beschikbaar zou stellen voor een volgende termijn. Over enkele weken moet hij de papieren voor zijn kandidatuur hebben ingeleverd, maar hij heeft dat uitgesteld, voor het geval het leven nog meer verrassingen voor hem in petto heeft.

Nu loopt George met zijn toga over de arm zwierig naar de raadzaal, een aristocratische ruimte met hoge gedeelde plafonds en donkere kroonornamenten. Het slot van de mondelinge behandeling van de zaak-Warnovits is onaangenaam verlopen, met nog meer retorische hoogstandjes van Nathan Koll. De rechter vindt het niet onplezierig er een halfuurtje tussenuit te kunnen knijpen voordat hij in het overleg de confrontatie met zijn collega's aangaat.

In het aangrenzende kantoor zit Dineesha, de secretaresse van de rechter, achter haar grote bureau te werken. Ze overhandigt hem een stapeltje memo's – voornamelijk verzoeken aan George om ceremoniële medewerking te verlenen aan openbare bijeenkomsten – maar er is maar één bericht bij dat hem op dit ogenblik interesseert.

'En wat had onze favoriete briefschrijver vanochtend te zeggen?' vraagt hij.

Sinds een week of drie geleden het gedoe met de Fanaat is begonnen, controleert Dineesha zijn e-mail, zodat de beveiligers zo snel mogelijk van recente ontwikkelingen op de hoogte kunnen worden gesteld. De beheerste, waardige Dineesha staat George al bijna twintig jaar bij in zijn professionele bezigheden; zonder mokken is ze hem van zijn luxe privékantoor gevolgd naar de overheid. Nu schudt ze haar stijve diepzwarte kapsel, dat elke dag getuigt van de spankracht van de polymeren in haar haarspray.

'Meneer, daar hoeft u zich niet mee bezig te houden,' zegt Dineesha ernstig. 'Uw Fanaat wil alleen heisa.' Omdat ze zo serieus van aard is, vat hij haar lachje op als een blijk van verontwaardiging over wat hem overkomt.

Niemand wist aanvankelijk hoe degene die de rechter lastigvalt met zijn boodschappen moest worden aangeduid. 'De stalker' noemde George hem, maar dat was toch te veel eer voor iemand die zich niet fysiek had gemanifesteerd. Wreker. Nemesis. Gek of Gestoorde. Ironie werd de uitgangspositie. De correspondent werd de fanatiekste fan van de rechter genoemd, en kort daarna simpelweg de Fanaat.

George weet niet of hij blijk geeft van een sterk karakter door deze berichten door te nemen, of eenvoudig toegeeft aan een onweerstaanbare nieuwsgierigheid. Voor zichzelf praat hij het goed door te bedenken dat er vroeg of laat een aanwijzing over de afzender in zal staan. Dineesha vertrekt haar gezicht, maar opent haar e-mail terwijl George over haar schouder meekijkt.

Zoals alle eerdere berichten lijkt dit op een bericht van George dat is teruggestuurd. De afzender verschijnt als

'Systeembeheerder', als onderwerp is 'Kan bericht niet verzenden' vermeld. Daaronder, na een paar regels code, staat het bericht dat George zou hebben verzonden; het bestaat uit een paar woorden en een weblink. Op aanwijzing van de rechter klikt Dineesha de blauwe woorden aan. De naam van de website, Dodenwake, springt in vette zwarte letters van het scherm, vergezeld van een lijntekening van een doodkist met een grafkrans erop en een gerichte vraag: 'Heb je je ooit afgevraagd wanneer je doodgaat? En hoe?' Er volgt een lang enquêteformulier waarin wordt gevraagd naar leeftijd, gezondheid en beroepsmatige werkzaamheden, maar George keert terug naar de boodschap die de Fanaat naar de computer van de rechter heeft gestuurd. Die luidt: 'Ik weet het antwoord.'

Al sinds zijn jaren als toevoegingsadvocaat heeft George Mason de nodige scheldbrieven ontvangen, die hij zoals dat hoort steevast heeft genegeerd. Criminelen zijn er berucht om dat zij, ondanks zes ooggetuigen en foto's van bewakingscamera's waarop ze de gewapende overval plegen, zichzelf na een paar maanden in de cel wijsmaken dat ze nog op vrije voeten waren geweest als ze maar een 'echte' advocaat hadden gehad, in plaats van iemand die zijn geld krijgt van dezelfde overheid waarbij de aanklager in dienst is. Ook de beter gesitueerde boeven die George als advocaat voor hun eigen rekening heeft verdedigd, hebben zich soms van hun kribbige kant laten kennen, vooral als het besef eenmaal was doorgedrongen dat al het geld dat ze hadden uitgegeven niets anders had opgeleverd dan hun detentie. In zijn huidige positie luchten gegriefde veroordeelden ook wel eens hun hart. Geen van die bijtende uitlatingen heeft ooit tot meer geleid dan dat geboeide voormalige cliënten hem na een volgende aanhouding vanuit de rechtszaal dreigend aankeken.

Maar de kille intelligentie achter de berichten die de Fanaat verzendt, maakt het lastiger er schouderophalend aan voorbij te gaan. De boodschappen zijn niet ondertekend, anders dan de meeste dreigbrieven die George door de jaren heen heeft ontvangen, waarvan de opzet juist was dat hij zich zou herinneren wie hij onrecht had aangedaan. En natuurlijk leeft na Cincinnati, waar onlangs een opperrechter met zijn gezin is afgeslacht, een verhoogd besef van risico bij iedereen die een toga draagt.

In het eerste geretourneerde bericht stond alleen: 'Je moet betalen.' George vatte het als een vergissing op en wiste het bericht. Maar binnen een paar uur kwamen er nog een tweede en derde gelijkluidend bericht binnen. George dacht dat het spam was. Betalen moet. Maar het kan ook voor minder: autoverzekering, hypotheek, viagra. Twee dagen daarna is er weer een bericht gekomen: 'Je moet betalen. Met bloed.' En daarna: 'Jouw bloed.' En dan: 'Je zult bloeden.' En ten slotte: 'Je gaat dood.' Zijn griffier John Banion is net zijn kamer in gekomen als het bericht over zijn dood op Georges scherm verschijnt, en de rechter heeft hem gevraagd ernaar te kijken. Het bericht leek Banion meer aan te grijpen dan zijn chef en hij stond erop dat de interne bewaking zou worden ingeschakeld.

De interne bewaking is er nu ook weer, in de persoon van de opgewekte cheffin, Marina Giornale, die opstoomt naar de receptie terwijl George nog achter Dineesha staat. Marina is klein van stuk, maar compenseert dat met haar energie. Ze begroet de aanwezigen met een kwinkslag en haar schorre rokerslach en deelt stevige handdrukken uit. Ze draagt een zwart insigne en maakt zich niet op. Door haar lange kaki uniformjack met brede leren riem om het middel oogt ze zo solide als een vrieskast in een verpakkingskrat.

'Is "Dodenwake" een bestaande site?' vraagt de rechter, terwijl hij haar voorgaat naar zijn ruime ambtskamer.

'O ja, ik heb de hele ochtend met de webmaster aan de lijn gehangen. Hij blijft maar zeggen dat we in een vrij land leven.' George Mason IV is indertijd een van de opstellers geweest van de eerste tien amendementen op de grondwet, en de rechter amuseert zich vaak met de gedachte hoeveel uur het in het hedendaagse Amerika zou vergen voordat zijn beroemde voorvader het eerste amendement zou intrekken. Er is geen vrijheid die niet ook het pad naar de zonde opent. Het internet heeft luidruchtige gemeenschappen van gekken gevormd die zich voorheen gedeisd hielden met hun akelige obsessies.

'Wat heeft de FBI gezegd?' vraagt George vanachter zijn enorme bureau. Marina is in de houten leunstoel ervoor gaan zitten.

'Ze gaan forensische software draaien op uw harde schijf,' zegt ze, 'zodra ze er kans toe zien, maar ze denken dat ze met de adressering van de mail al negenennegentig procent in handen hebben van wat ze zullen vinden.'

'Dus?'

'Het komt erop neer dat er niet achter valt te komen wie dit doet.'

'Daar zijn we mooi mee,' zegt George.

'Hoeveel weet u over het natrekken van e-mail, meneer?'

'Niets.'

'Ik ook niet,' zegt ze. 'Maar ik ben goed in aantekeningen maken.' Met weer zo'n schorre lach haalt Marina een notitieboekje tevoorschijn. Marina is een nicht van wijlen Augustine Bolcarro, de nog altijd legendarische korpschef van Kindle County. Aanvankelijk meende George dat Marina door nepotisme aan haar aanstelling was gekomen, maar ten onrechte. Als dochter van een rechercheur toont Marina, die zelf ook rechercheur is geweest, het scherpe instinct van iemand die een vak met de paplepel ingegoten heeft gekregen. Ze komt altijd zelf als hij een beroep op de beveiliging doet en, wat nog meer in haar te prijzen valt, beseft dat haar staf, uitgedund door de vele bezuinigingsrondes, ondersteuning nodig heeft. Ze heeft de hulp ingeroepen van de FBI, die bereid is te assisteren omdat bij het bedreigen van George telefoonlijnen in meer dan één staat zijn gebruikt, waardoor het een federaal vergrijp is geworden. Een week terug zijn twee zwijgzame technici een dag lang in de weer geweest om een kopie te maken van de harde schijf van de rechter.

'Volgens de techneuten van de FBI hebben we hier te maken met een variatie op een zogenaamde stuiteraanval, waarbij iemand uw e-mailadres "parodieert".' Ze tekent aanhalingstekens in de lucht. 'Dat adres zetten ze dan in het afzendervak. Het schijnt dat je je er maar een kwartiertje in hoeft te verdiepen om erachter te komen hoe dat kan. Simpel, maar effectief.

Toen de FBI de herkomst natrok, leken alle berichten afkomstig te zijn van een open server in de Filippijnen.'

'Een "open server"?'

Ze steekt een brede hand op. 'Een server die mail doorstuurt. De meeste open servers zijn door spammers opgezet. Soms opent iemand een website die onvoldoende is afgeschermd, zodat iedereen hem kan gebruiken tot de eigenaar doorkrijgt wat er gebeurt. Een open server kan door iedereen worden gebruikt. De server stuurt elk toegestuurd bericht door, zonder dat er controle is op de afzender. En open servers houden gewoonlijk ook niet bij wie wat verstuurt aan wie. De heren van de FBI zeggen dat er achter deze server een website in China zou kunnen zitten die eigendom is van een bedrijf in Londen. Ik bedoel maar,' zegt Marina, 'geluk ermee.'

Teleurgesteld laat George zijn ogen door het vertrek dwalen en denkt na. Een van de pluspunten van zijn leven als rechter in het hof is ruimte. Zijn werkkamer meet bijna tien bij tien meter, en biedt dus plaats aan alle snuisterijen en souvenirs die hij in de drie decennia van zijn loopbaan heeft verzameld. Maar de inrichting is voor rekening van de staat: een zee van lichtblauw tapijt en zware meubels van mahonie, vervaardigd in penitentiaire inrichtingen.

'Marina, dit wijst toch niet op jouw theorie over Corazón, wel?' Die naam is de reden dat hij de deuren heeft dichtgedaan, en toch dempt hij zijn stem. Zijn medewerkers zouden schrikken van de naam.

'Het spijt me, meneer, dat ben ik niet met u eens. Ik hoor van de Sectie Georganiseerde Misdaad dat die latinobendes goed op de hoogte zijn. Diefstal van identiteit op het internet is enorm toegenomen. Ik sluit Corazón helemaal niet uit. De jongens en meisjes van de FBI evenmin.'

In het licht van de aanwijzingen tot nu toe kan de Fanaat dus iedere aardbewoner zijn met een computer en het e-mailadres van de rechter. Omdat Marina verder niet veel aanknopingspunten heeft, werkt ze met een lijst van de zaken waarin George de afgelopen drie jaar vonnis heeft gewezen. Daarbij is haar een naam opgevallen: Jaime Colon, bekend als 'El Corazón'. Corazón is de beruchte Inca, het hoofd van Los Latinos Reyes, een straatbende met een paar honderd leden en een 'set' van de Almighty Latin Nation, de snelst groeiende van de drie overkoepelende gangverbanden in de Tri-Cities.

Tientallen jaren geleden, in de tijd dat George als toegevoegd advocaat geregeld in de penitentiaire inrichting Rudyard moest zijn, trof het hem telkens weer dat sommige gedetineerden als zo gevaarlijk werden beschouwd dat ze zelfs werden gevreesd door moordenaars en andere boeven die hij verdedigde. Zo iemand is Corazón; die is zo slecht, zeggen ze, dat klokken blijven stilstaan en kleine kinderen gaan huilen als hij langskomt.

Een klein jaar geleden heeft de rechter het vonnis geschreven ter bevestiging van Corazóns veroordeling wegens zware mishandeling en belemmering van de rechtsgang en, meer ter zake, zijn veroordeling tot zestig jaar gevangenisstraf. Corazón had eigenhandig de vriendin en twee kinderen (van vijf en zeven) bewerkt van een gedetineerde benderivaal die een belastende verklaring over hem zou afleggen in een drugszaak. En daartoe hadden Corazóns pogingen tot intimidatie zich niet beperkt. Na zijn veroordeling, op grond van in het ziekenhuis afgenomen DNA-materiaal onder de nagels van de slachtoffers, die zo verstandig waren geweest vóór het proces de wijk te nemen naar Mexico, heeft Corazón gezworen wraak te nemen op de behandelende rechter, de aanklagers, de rechercheurs en alle anderen die eraan hebben meegewerkt dat hij de cel in moest.

Het gevolg is dat Corazón nu wordt vastgehouden in de enige extra beveiligde inrichting waarover de staat beschikt. Zijn cel is een betonblok van tweeënhalve meter bij tweeënhalve meter waar hij alleen contact mag hebben met de medewerkers van de inrichting en met zijn moeder, die hem elke maand één keer onder toezicht mag bezoeken. Niettemin geldt Corazón, puur door zijn slechtheid, als een belangrijke verdachte. De intimidatie van een rechter organiseren, terwijl hij onder alle beperkingen gedetineerd is, zal een uitdaging zijn die hem moet aanspreken, zeker nu hij zich om de gevolgen niet hoeft te bekreunen. Een nog langere straf heeft geen betekenis voor iemand van tweeënveertig. Als hij wordt betrapt, zal zijn voornaamste straf eruit bestaan dat hij enige tijd een smakeloze maaltijdvervanger krijgt voorgezet in plaats van echt eten.

'De FBI is vorige week bij hem langs geweest,' zegt Marina. 'Corazón ouwehoert graag, ook zonder advocaat erbij. Ze vroegen hem naar een paar van zijn jongens die gestrekt zijn gegaan.' Vermoorde bendeleden, bedoelt ze. 'Ze hebben ook uw naam laten vallen.'

'En?'

'Hij reageerde niet. Maar ze wilden hem laten merken dat ze hem in de peiling hebben.'

Als het gaat om het oplossen van misdaden is de voor de hand liggende verklaring meestal de juiste: de jaloerse echtgenoot heeft zijn ex vermoord, de ontslagen werknemer is degene die de buizen in de fabriek heeft gesaboteerd. Maar dat iemand die een krik gebruikt om getuigen het zwijgen op te leggen de moeite zou nemen om zoiets geraffineerds uit te denken, acht de rechter niet aannemelijk.

'Ik geloof niet in Corazón, Marina. Eerlijk gezegd denk ik nog steeds dat degene die hierachter zit alleen stoom afblaast.' Mafkezen met achtervolgingswaan, dat zijn de correspondenten voor wie George heeft geleerd wél bang te zijn; zulke mensen vallen aan in de waan dat ze zichzelf moeten beschermen. Maar een rationele persoonlijkheid die kwaad wil, verstuurt geen waarschuwingen, omdat daardoor vergeldingsacties alleen maar lastiger te realiseren zijn. George is ervan overtuigd dat de opzet van de Fanaat uitsluitend is om de gemoedsrust van de rechter te verstoren, een veel te beschaafd doel voor Corazón.

'Volgens mij vormt deze griezel een serieuze bedreiging.'

George wil haar tegenspreken, maar houdt zijn mond. Hij weet allang dat uniformen zoals zij zichzelf het liefst als ridderlijke beschermers zien; je mag ervan uitgaan dat Marina Giornale in haar jonge jaren alles over Jeanne d'Arc heeft gelezen. Hoe serieuzer Marina de mails opvat, des te gewichtiger wordt ze zelf.

'En de FBI en mijn mensen zijn het over één ding eens,' zegt ze.

'Namelijk?'

'Er moet bewaking komen.'

'Nee,' zegt George, zoals hij al eerder heeft gezegd. Bewaking zou verdomd lastig zijn en erger nog, iets wat hij niet voor Patrice verborgen kan houden. Hij heeft zijn vrouw niet verteld dat hij wordt bedreigd en hij is dat ook niet van plan. Haar eigen toestand is al reden genoeg voor zorg. 'Dat kan ik thuis niet hebben, Marina.'

Marina weet dat Patrice ziek is en kijkt even vol meegevoel naar hem alvorens peinzend haar kaak te masseren.

'Meneer, laten we het zo doen: uw huis is uw huis. Daar heb ik geen zeggenschap over. U hebt toch een geheim nummer?'

Een geheim nummer had George al toen hij nog advocaat was, om te voorkomen dat hij midden in de nacht zou worden gebeld door een witteboordencliënt die net wakker was geworden uit een nachtmerrie over de gevangenis.

'Maar zodra u een voet in de regio zet, bevindt u zich op mijn terrein. Dus met alle respect en vele diepe buigingen, en de dans met de zeven sluiers...' Ze lacht hem toe, met haar appelwangetjes, een ontwapenend kind. 'Dan moet er iemand bij u zijn. Als ik naga welke risico's u loopt, meneer, weet ik werkelijk niet hoe ik zou moeten uitleggen dat ik u geen bescherming heb geboden.'

Ze bedoelt dat hij niet van haar kan vergen dat ze op haar terrein een kunstfout maakt. Gelaten slaat hij zich op de dijen en Marina houdt hem snel haar hand voor.

George laat haar uit. Terwijl hij de deur openhoudt, komt Banion aanlopen met een voorlopig oordeel dat net van een andere rechter is binnengekomen. Op de drempel keert Marina zich naar hen om.

'U had een flinke opkomst vanmorgen.' Ze bedoelt de drommen mensen die naar binnen wilden voor de behandeling van de zaak-Warnovits en die zij met haar mensen in goede banen heeft moeten leiden.

Meteen begint de zaak weer aan de rechter te knagen. De zaak-Warnovits is als een mislukt gerecht of ruzie met je partner: iets wat je met je meedraagt en de hele dag je stemming bederft.

'Ik haat die zaak,' zegt hij. Voor Banion is dat geen nieuws. De rechter heeft John opgedragen die onderdelen van de video te bekijken die volgens Sapperstein niet aan de jury getoond hadden mogen worden, omdat George zelf de beelden niet meer kon aanzien. John Banion is niet iemand die te koop loopt met zijn gevoelens; hij fronst licht. Maar Marina reageert verbaasd.

'Waarom dan? Ik dacht dat jullie leefden voor de grote zaken.'

Daar heeft ze gelijk in. In feite maakt dat deel uit van het raadsel rond zijn reacties op deze zaak. George heeft rechter willen worden omdat het belangrijk werk is, omdat je geacht wordt op te treden als het geweten van de gemeenschap en de aloude principes van het recht hoog te houden. Vaak drukt die verantwoordelijkheid zwaar op hem, al heeft hij zelden spijt. Nu schudt hij ernstig het hoofd, alsof het de eisen van het ambt zouden zijn die hem verhinderen uitleg te geven, in plaats van zijn volslagen verbijstering.

3

ZIEKENBEZOEK

Gehaast loopt George door de privégang voor de rechters naar de raadkamer naast de zittingszaal. Het is weliswaar nog geen tijd voor het overleg met Purfoyle en Koll, maar hij wil Patrice even bellen, en hij blijft staan voor een groot raam waar de ontvangst beter is. Het is een mal soort correctheid die hem aan zijn vader doet denken, dat weet hij, om geen persoonlijke gesprekken te willen voeren over de publieke telefoonlijn in zijn ambtskamer, maar als rechter houdt hij zich strikt aan de overtuiging dat hij in alle kleine en grote zaken het goede voorbeeld moet geven. Hij verschijnt elke dag in pak met das en verwacht hetzelfde van zijn staf, ondanks de nonchalantere verschijning van zijn collega's op dagen waarop ze niet in de rechtszaal hoeven te verschijnen. Hij is vastbesloten op zijn minst uiterlijk altijd te overtuigen in zijn rol: lang, verzorgd, grijs, en op een conventionele manier knap voor een man van middelbare leeftijd. De standaarduitgave van een blanke man.

'Best. Moe. Echt geen slechte dag,' antwoordt Patrice vanuit het ziekenhuis. Hij heeft die morgen al een paar keer geprobeerd haar te bereiken, maar kreeg telkens in gesprek. De contacten van Patrice met de mensheid beperken zich tot de telefoon. 'Ze denken dat mijn geigerniveau vanavond misschien zover is gedaald dat je mijn kamer mag betreden. De meeste vrouwen willen het hart van een man, Georgie. Ik wed dat je nooit hebt voorzien dat je je schildklier zou moeten riskeren.'

'Met genoegen, maatje,' antwoordt hij. Het is hun wederzijdse uiting van genegenheid. 'Elk orgaan van je keuze.' De Masons hebben altijd genoten van elkaars gezelschap en de manier waarop ze zich met ontspannen humor door het leven slaan. Maar nu gaat zijn voorkeur uit naar meer ernst. Voor veel mannen die George kent is het huwelijk een strijd tegen verlangens. Maar hij is een van de weinigen die het hebben getroffen: al ruim dertig jaar heeft hij kunnen zeggen dat hij niemand liever wil dan Patrice.

De laatste tijd hebben zijn gevoelens voor haar hem vaak overweldigd. Het knobbeltje op Patrices schildklier is op tien februari ontdekt en de volgende dag moest hij zelfs huilen bij het lezen van versjes op valentijnskaarten. Voorlopig wil hij zijn heftige gevoelens voor zichzelf houden. Patrice kan nu van hem niets anders verdragen dan wat zij als 'normaal' gedrag beschouwt: geen dramatische toestanden en zeker geen uitingen die Patrice, die is zoals ze is, zou afdoen als 'mal en sentimenteel'.

'Zal ik avondeten meebrengen?' vraagt George. 'Dan kunnen we samen eten. Heb je ergens zin in?'

'Geen slappe sperziebonen meer. Iets pittigs.'

'Mexicaans?'

'Heerlijk. Na acht uur. Dan is het zesendertig uur later. Maar je mag vast niet lang blijven, maatje.'

De vorige dag heeft hij Patrice 's ochtends om zes uur afgeleverd bij het West Bank Lutheran-Sinai. Daar heeft ze een grote pil vol jodium-131 geslikt. Vervolgens mocht ze geen enkel contact meer hebben met haar medemensen. De straling die in haar woedt en elke schildkliercel moet aanvallen, vooral de afgedwaalde die andere lichaamsdelen dreigen aan te tasten, kunnen ook de gezonde schildklier van iemand anders schaden. De behandeling is al heel lang statistisch een succes, maar een verontrustende ervaring is het wel. Op dit ogenblik is Patrices isolement groter dan in een leprozenkolonie; daar zou ze nog gezelschap hebben. In het ziekenhuis is ze ondergebracht in een klein kamertje van cellenbetonblokken, bekleed met lood. Bij de inrichting is geprobeerd het steriele van een ziekenhuiskamer te vermijden, maar het resultaat is de treurigheid van een kamer in een goedkoop motel, met gehavend meubilair en een dunne chenille sprei op het bed. Alles wat hier naar buiten gaat, moet door speciaal personeel worden vernietigd of in quarantaine worden bewaard: de boeken en tijdschriften die Patrice leest, haar ondergoed en wat terechtkomt in de po die ze moet gebruiken. Haar polsslag en temperatuur worden elektronisch gecontroleerd en de verpleegkundigen zetten haar maaltijden neer voor een loodslab in haar deur.

De vorige dag mocht zelfs George haar kamer niet in. In plaats daarvan hebben hij en zijn vrouw met elkaar gesproken via telefoonhoorns aan weerskanten van een groot raam in de wand naast haar bed, waarvoor Patrice het scherm kan ophalen. Onvermijdelijk heeft George de vergelijking getrokken met omstandigheden die hij door zijn beroep heeft leren kennen. In hoeveel instellingen heeft hij met hoeveel cliënten op dezelfde manier gecommuniceerd? En hoeveel van hun medegedetineerden heeft hij tersluiks opgenomen met de gebruikelijke mengeling van meegevoel en afkeuring, terwijl de gevangenen klauwden over het glas of huilden, met een kind of geliefde aan de andere kant, en nu pas de volle ernst voelden van de opsluiting en dus hun misdaad? Nu zijn eigen vrouw op soortgelijke wijze geïsoleerd is, kan George het mismoedige gevoel niet van zich afschudden dat hij heeft gefaald. Hun gesprek verliep lusteloos en haperend. Het glas tussen hen in had net zo goed haar ziekte kunnen zijn. Na drieëndertig jaar blijkt hun leven samen een kwestie van genade te zijn, in plaats van wederzijdse wil. Patrice is ziek, hij niet. 'Samen kanker hebben bestaat niet,' heeft iemand van maatschappelijk werk gezegd tegen een steungroep voor partners.

'Je moest vanmorgen toch pleidooien aanhoren?' vraagt Patrice. 'Hoe was het?'

'De meeste waren saai. Maar we hebben net de zaak-Warnovits gehoord. Die zedenzaak met de scholieren.'

'Waar ze het bij het nieuws over hebben? Maakten de advocaten er wat van?'

'Niet echt, maar ik zat met Nathan Koll, die een bermbom voor de advocaten heeft neergelegd. Ik ben op weg naar de raadkamer waar hij de gekste toeren zal uithalen om zichzelf een schouderklopje te kunnen geven. Ik moet weg.'

'Ga dan maar gauw, George. Ik bel wel als ik niet door de geiger-test kom.'

Hij klikt haar weg en staart door het raam naar de kloof waarin de US 843 ligt, de snelweg die het gerechtsgebouw scheidt van het centrum, en naar de kantoortorens daarachter: onverzettelijke monumenten voor het kapitaal. De zomer is in aantocht, een seizoen van rijping en beloften, maar in zijn ziel blijft het herfst. George is uit zijn doen en beseft dat heel goed. Voor een man die wordt bewonderd om zijn kalmte en waardigheid is hij de laatste tijd te vaak uit balans, nu weer door de zaak-Warnovits. Hij snauwt soms zijn mensen af en het lijkt wel of hij verstrooid is geworden. Een dag of tien geleden is hij zijn mobieltje kwijtgeraakt, hij zou niet weten waar. Bij zijn terugkomst van een lunch van de balie, met een aantal collega's, was het ding opeens weg. Hij heeft Dineesha zijn hele kantoor overhoop laten halen, terwijl de anderen belden naar alle locaties waar hij was geweest. Hij gebruikt zolang het reservemobieltje van Patrice.

Sommigen denken misschien dat de Fanaat hem op de zenuwen werkt. Die heeft het er waarschijnlijk niet beter op gemaakt, maar zijn humeurigheid dateert van vóór de eerste e-mail die George van zijn anonieme kwelgeest heeft ontvangen. Zijn onbehagen valt eerder samen met de diagnose die bij Patrice is gesteld. Hij is er tot in zijn diepste wezen van overtuigd dat zijn vrouw niet zal sterven. De artsen hebben zowat een garantie afgegeven. Haar kans nadert de vijfennegentig procent, en daarbij is nog geen rekening gehouden met haar overigens goede gezondheid: ze is slank en atletisch, gebruind en nog heel mooi.

Maar zoals Georges vriend Harrison Oakey het uitdrukt: een ernstige ziekte op deze leeftijd is als het doven en weer aanfloepen van het pauzelicht in het theater. Als het leven een toneelstuk in drie bedrijven is, dan is het doek opgegaan voor de finale. Nadat John Banion het bericht van de Fanaat heeft gelezen waarin 'Je gaat dood' stond, had de rechter geprobeerd zijn griffier met een grapje op te monteren terwijl ze op Marina wachtten. 'Die kerel heeft geen toekomst in de journalistiek,' zei George, 'want dat is geen nieuws.'

Maar ironie helpt maar ten dele. De feiten komen hard aan. En daarmee komt een onvermijdelijke berekening van plussen en minnen. George is strikt en zelfs streng in zijn persoonlijke afweging. Echtgenoot. Vader. Jurist. Rechter. Tegenwoordig lijkt hij met een koele blik het scorebord bij te houden.

4

BERAADSLAGING

Nathan Koll beschikt over een formidabel, zij het wat zwaarwichtig intellect, het academische equivalent van de borst vol medailles van een vijfsterrengeneraal: summa cum laude op alle onderdelen, primus hier en primus daar en noem maar op. Verdomd knappe kerel. George vraagt zich altijd af hoe Koll zichzelf ziet. Waarschijnlijk als de ideale jurist, de ijzige rede ten top. Maar in feite is Nathan zo excentriek als sommige daklozen. Hij wast zich bijvoorbeeld niet. Het inademen van zijn lichaamsgeur is alsof je een snoeizaag door je neus haalt. Met hem de kleine kleedkamer delen waar de rechters zich in hun lange zwarte toga's hullen is een beproeving waarover veel wordt geklaagd. Hij heeft rouwranden onder zijn nagels en zijn golvende zwarte haar kleeft aan zijn voorhoofd.

George beschouwt Nathans onwil om zich zelfs maar aan water en zeep uit te leveren al heel lang als een element van zijn kennelijke paranoia. Daarbij komt dat de verbeten inzet van de man die op elk discussiepunt wil scoren, een manier kan zijn om zichzelf te bewijzen dat hij voor iedereen ongenaakbaar is. Niet dat Nathan ooit een persoonlijke betrokkenheid zal toegeven. Hij zegt nooit: 'ik wil', 'ik vind' of 'volgens mij' en hij wil evenmin toegeven dat iemand anders trots op zijn positie kan zijn of aan zijn positie zou kunnen hechten. Alles wordt voorgesteld als niets meer of minder dan een kwestie van strenge logica, waarbij hij vaak een honend lachje om de lippen heeft.

Buiten zijn werk toont Koll zich zo ontoegankelijk als een autonoom en hij weigert zelfs zijn eigen medewerkers zijn woonadres of telefoonnummer te geven. Hij is alleen per BlackBerry te bereiken. Hij heeft een echtgenote, een zorgelijke Aziatische. George heeft haar al twee keer ontmoet, maar hij heeft haar nog nooit een woord horen zeggen.

Nathan is ad interim benoemd en maakt de termijn vol op een post die na 2008 om budgettaire redenen zal worden geschrapt. Hij heeft de aanstelling geaccepteerd in de overtuiging dat hij na de verkiezing van John Kerry bij het federale gerechtshof in Chicago zal worden benoemd. Gezien de huidige stand van zaken zou Nathan wel graag verlenging van zijn aanstelling voor onbepaalde tijd willen, maar daar is weinig kijk op. Er worden nog in geen jaren vacatures verwacht bij het hof. Bovendien zou Koll geen enkele steun vinden bij zijn collega-rechters, bij wie hij zonder uitzondering irritatie heeft gewekt, George incluis. Het kan rechter Mason niet meer schelen dat Koll en hij vaak hetzelfde standpunt innemen, of dat Koll een bondgenoot met unieke bekwaamheden is, handig in het toepassen van de kosten-batenanalyse ten koste van de conservatieven, die erop reageren alsof hij een graai in hun gereedschapskist heeft gedaan. Nathan beschouwt zichzelf als de ongeremde beschermer van de verdrukten, maar dat is zo'n gering onderdeel van de bizarre parade van zijn dagelijkse optreden als rechter, dat het amper gewicht in de schaal legt.

George vermant zich als hij de raadkamer naast de rechtszaal betreedt. Zoals alles in dit gebouw is de ruimte klassiek afgewerkt, als een besloten eetzaal in een herenclub, met inbegrip van een kroonluchter. Ter bescherming van de beslotenheid van het overleg zijn er geen ramen en zelfs de griffiers, die de eerste versies van de vonnissen zullen schrijven, worden buitengesloten zodat de rechters vrijuit kunnen spreken, zonder de noodzaak in de aanwezigheid van lagergeplaatsten in de plooi te blijven.

De andere rechter van de zitting van die ochtend, Summerset Purfoyle, zit met Nathan aan de lange chippendale-tafel, die ruimte biedt aan alle twintig rechters van het hof, voor de zeldzame gelegenheden dat ze plenair bijeenkomen. Met Koll erbij is Summer drie meter verderop gaan zitten en George doet hetzelfde aan de andere kant van de tafel.

Als voorzitter van de kamer stelt George de te bespreken zaken aan de orde, in de volgorde waarin ze de afgelopen ochtend zijn behandeld. Gewoonlijk is het werk van het hof gelijkelijk verdeeld over civiele zaken en strafzaken en daarmee, impliciet, over rechtspraak aan de Amerikaanse uitersten van rijkdom en armoede. In de regel heeft in beroep gaan in een civiele zaak alleen zin als er financieel of persoonlijk veel op het spel staat, omdat degene die in beroep gaat een borgsom moet storten als garantie dat degene die het proces wint kan worden uitbetaald, en vervolgens een advocaat moet betalen om de processtukken na te vlooien op fouten.

Aan de criminele kant weerspiegelen de zaken de realiteit van de rechtszaal beneden, waar de verdachten in overweldigende meerderheid minvermogende jonge mannen zijn met een toegevoegde advocaat. In negen van de tien zaken zal de uitspraak van het hof de laatste reële kans zijn voor mannen die tot langdurige gevangenisstraffen zijn veroordeeld. Het gebeurt maar zelden dat het hooggerechtshof van de staat in strafzaken nog een derde toetsingsmogelijkheid biedt. George heeft niet tot taak het werk van de jury over te doen. Maar wat hij opvat met een diepe ernst, die grenst aan religieuze inzet, is zijn verplichting te kunnen verklaren dat, alles in aanmerking genomen, de verdachte op grond van een eerlijk proces is gevonnist.

De drie rechters werken zich zonder veel debat door de drie zaken heen die voorafgaand aan de zaak-Warnovits zijn behandeld. De uitspraken in de eerste twee, een voogdijkwestie en een conflict tussen twee bedrijven over een bouwvergunning, worden bekrachtigd; de derde zaak, een schadeclaim van negen miljoen tegen een hoogovenbedrijf, moet worden opgeschort omdat de rechter die de zaak heeft behandeld, een stoethaspel die Myron Spiro heet en van wie het hof vaak uitspraken vernietigt, ten onrechte een wettig verweer heeft afgekeurd. Als voorzitter mag George aanwijzen wie in deze zaken de vonnissen zal schrijven, maar hij wacht meestal af of zich iemand uit zichzelf meldt, en Nathan biedt natuurlijk aan alle drie te doen. Koll schrijft razendsnel en heeft zelden hulp van zijn griffiers nodig; de verleiding is soms groot het meeste werk aan hem over te laten. Maar Summer wil de voogdijzaak en Nathan neemt genoegen met de andere twee. Zonder het te laten merken is George dolblij dat Nathan de hoogovenzaak neemt, omdat Nathan de verleiding niet zal kunnen weerstaan Spiro op verdiende wijze voor schut te zetten.

'Goed,' zegt George. 'En nu het echte werk. Warnovits.'

Als voorzitter mag George zich als eerste uitspreken, maar hij voelt zich nog altijd merkwaardig onzeker en bezwaard. Hij richt zich tot Koll.

'Nathan, ik zou graag meer horen over het punt dat je tot slot aanvoerde in verband met het afluisterbesluit van de staat.'

In werkelijkheid weet George alles wat hij moet weten, omdat de motieven zonneklaar zijn. De altijd triomfantelijke Koll heeft een manier bedacht om in de volle rechtszaal, waar de pers ruim vertegenwoordigd was, aan te tonen dat de beroemde Jordan Sapperstein een doorslaggevend argument over het hoofd heeft gezien.

Een bijkomend slachtoffer van Kolls stunt is de door de jaren getekende veteraan die na Sapperstein het spreekgestoelte had beklommen: aanklager Tommy Molto. Tommy is onlangs tijdelijk benoemd tot plaatsvervangend hoofdaanklager bij de rechtbank van Kindle County, de tweede opvolger in die functie binnen de termijn van de gekozen hoofdaanklager, Muriel Wynn, die nog maar net in functie was toen ze een succesvolle campagne lanceerde om procureur-generaal te worden. De eerste tijdelijke hoofdaanklager, Horace Donnelly, is afgetreden nadat de *Tribune* tot de ontdekking was gekomen dat het totaal van de schuldbekentenissen die Donnelly in casinoboten op de rivier had achtergelaten, het dubbele van zijn jaarsalaris bedroeg. Molto was de veilige keus: een volijverige en strenge carrièrejurist die, naar het zich nu laat aanzien, gedoemd lijkt te bezwijken aan verhoogde bloeddruk, halverwege een tirade in de rechtszaal over de betreurenswaardige karakterfouten van een verdachte.

Molto's aanwezigheid vandaag moest aangeven dat het OM veel belang hecht aan de zaak-Warnovits. George beschouwt hem als een betere aanklager in beroepszaken dan veel van Molto's assistenten. Molto is ad rem, stelt directe vragen en doet zijn best op de zwakke punten van zijn zaak, zonder te doen alsof elke twijfel onredelijk zou zijn. Als aanklager heeft Molto in zijn betoog veilige zwenkbewegingen uitgevoerd door eerst uit te leggen hoe de zaak ruim binnen de grenzen valt van de wettelijke bepalingen inzake verjaringsgronden. Vervolgens heeft hij de punten herhaald die Koll heeft gescoord in zijn aanval op Sappersteins bewering dat de videoband van de verkrachting ingrijpend bekort had moeten worden voordat hij aan de jury werd getoond.

Het is wel vaker voorgekomen dat Koll, zoals nu ook, van zijn eerder ingenomen standpunt lijkt af te wijken.

'Meneer Molto,' heeft hij tegen de aanklager gezegd, 'kunnen wij het na de beslissing van het hof inzake Brewer erover eens zijn dat het maken van video-opnamen van Mindy DeBoyer zonder haar voorafgaande toestemming een schending vormt van het afluisterbesluit dat in deze staat van kracht is?'

De zaak-Brewer, waarover enkele maanden terug uitspraak is gedaan, betrof een conciërge op een middelbare school die met zijn mobieltje foto's had gemaakt in de jongenskleedkamer. Molto's reactie was een voorzichtig knikje. In de neergaande lijnen van zijn gezicht lijkt zich het gewicht van elke misdaad en elke boef die aan de wet is ontglipt te hebben afgetekend, en de schaarse grijze haren die boven op zijn hoofd nog resten, staan overeind in de tochtstroom van het ventilatiesysteem. Zijn kleding wekt als gewoonlijk de indruk de avond tevoren in zijn bureaula te zijn gepropt.

'Inderdaad, maar dat is niet ten laste gelegd, meneer.'

'Dat is juist, meneer Molto. Dat is niet ten laste gelegd. En in paragraaf c, lid 6 van het afluisterbesluit staat duidelijk, en ik citeer: "Alles wat in strijd met deze bepaling wordt verkregen is ontoelaatbaar als bewijs in elke civiele zaak of strafzaak, tenzij vervolging is ingesteld wegens schending van deze bepaling." Daaruit blijkt volgens mij zonneklaar dat de videoband ontoelaatbaar bewijs is.'

Molto keek alsof hij een dolkstoot voelde. Achter hem klapte Sapperstein zo hard tegen de rugleuning van zijn stoel alsof hij een airbag tegen zijn borst had gekregen.

'Maar Nate,' zegt Summerset Purfoyle nu, 'je wilt toch niet zeggen dat we op die grond de veroordelingen moeten verwerpen?'

'Waarom niet? De zaak staat of valt met de video.'

'Maar Sapperstein heeft dit punt niet aangevoerd en ook de raadslieden bij het proces in eerste aanleg hebben dat niet gedaan. Wij kunnen het dus nu niet inbrengen.' Het behoort tot de aard van elke beroepsprocedure dat ze zich voltrekt in een grijs gebied: alleen wat tijdens de behandeling bij de rechtbank is vastgelegd, kan in de overweging worden meegenomen. De hele waarheid – de inhoud van processen-verbaal, verklaringen van getuigen die niet zijn opgeroepen, terzijdes tussen de raadslieden en de rechter, overleg in de kamer van de rechter – mag niet in aanmerking worden genomen. Het is of je geschiedenis schrijft uit wat er over is na een brand. In dezelfde geest is het een fundamentele regel dat juridische bezwaren die de rechter in eerste aanleg niet heeft kunnen weerleggen, bij het beroep niet aan de orde kunnen worden gesteld.

'Stom van hem,' vindt Koll. 'Grenst verdomme aan ambtsovertreding.' In werkelijkheid, beseft George, zou voorafgaand aan de zaak-Brewer, nu enkele maanden geleden, zelfs de beste jurist niet op het idee zijn gekomen dat een wet die in de jaren zeventig is aangenomen om de gesprekken van burgers – en wetgevers – tegen ongewenste bemoeienis te beschermen, zo ruim geformuleerd is dat ook een video-opname eronder zou kunnen vallen.

'Nathan, die bepaling was bedoeld om mensen die afluisteren te beletten daar voordeel van te trekken in de rechtszaal,' zegt Summer. 'Een man mag niet zijn vrouw afluisteren en dan de bandjes gebruiken in zijn scheidingszaak. Maar onder de huidige omstandigheden zie ik niet in dat de verdachten enkel inzake verboden opnamen kunnen worden vervolgd, hoe walgelijk het vastgelegde gedrag ook is. Waarom zou de wetgever het slachtoffer op die manier tekort willen doen?'

'De formulering van het besluit is glashelder. Het is een kennelijke dwaling,' voegt Koll eraan toe, gebruikmakend van de doctrine dat het hof over het hoofd geziene fouten in het proces in aanmerking mag nemen, mits ze van doorslaggevende invloed zijn op de afloop.

George komt in het geweer. 'Er is meer nodig dan een kennelijke dwaling, Nathan. Wij zijn scheidsrechters, geen spelers. We mogen niet onze eigen argumenten naar voren schuiven, tenzij het negeren ervan een rechterlijke dwaling oplevert. Dat is de norm die we moeten toepassen.'

'En waarom is het geen rechterlijke dwaling om vier mannen te veroordelen, als de hele zaak tegen hen ontoelaatbaar is?'

Het verbaast George een beetje dat Koll zich deze keer

zo vastbijt in zijn argument. Vaak voert hij dit soort droge academische vertoon alleen op om indruk te maken of te kleineren, zonder er buiten de zittingszaal op terug te komen.

Summerset blijft zijn hoofd schudden. Hij heeft een verleden als beroemd soulzanger die tussen zijn tournees door rechten studeerde, een trimester avondstudie per keer, zodat hij zijn eigen carrière erop kon afstemmen. Toen zijn ster zodanig was verbleekt dat hij alleen nog op zomerfestivals en reüniefeesten van middelbare scholen kon optreden, heeft hij zijn resterende naamsbekendheid gebruikt om zich verkiesbaar te stellen als rechter, in de hoop zo een vast inkomen te verwerven. De balie heeft gesputterd tegen een kandidaat die bij elk optreden in de campagne zijn beide hits 'Made a Man for a Woman' en 'Hurtin' Heart' zong, maar als rechter heeft Summer degelijk werk geleverd. Zijn promotie naar het gerechtshof is een manier geweest om hem af te halen van de enige taak waarin hij niet goed was: de organisatie van de geschillenkamer. Op deze plaats is hij noch de meest eminente collega van George, noch de minste. Hij blijft hard werken, legt een grote mate van gezond verstand aan de dag en levert gedegen en pragmatische interpretaties van de wet.

En het standpunt dat hij nu enkele malen vertolkt, is dat een veroordeling van deze jongelui verre van onrechtvaardig is. Ras, het telkens terugkerende thema in het Amerikaanse leven, zou een factor in zijn evaluatie kunnen zijn, maar George, die vaak genoeg met Purfoyle heeft gewerkt, betwijfelt dat. Summer staat, net als George zelf, meestal aan de kant van de aanklagers, behalve in zaken waarin kennelijk sprake is van wangedrag van de politie. Nathan duelleert enige tijd met Summerset in pogingen de feiten met wat hypothetische veranderingen zo in de vorm te duwen dat zijn opinie prevaleert, maar steeds vaker werpt hij zijn schuine, donkere blikken op George, die natuurlijk de beslissende stem heeft.

Leken denken misschien dat rechters keizers zijn die met hun scepter zwaaien en doen wat ze willen, maar in de ervaring van George proberen ze allemaal de wet toe te passen. Woorden zijn soms zo glibberig als vissen en redelijke mensen zijn het vaak oneens over de betekenis van rechtszaken en wetsbepalingen, maar de rechter moet zich niettemin laten leiden door de gebruikte woorden. George concentreert zich op de vraag: is een veroordeling van deze jongens op grond van een videoband die niet ingebracht had mogen worden een 'rechterlijke dwaling'?

Merkwaardig genoeg is het de band zelf die zijn gedachten beheerst terwijl hij naar een antwoord zoekt. Door wat Sapperstein heeft aangevoerd, heeft George naar de video-opname moeten kijken, opgesloten in zijn ambtskamer. Hoewel George niet gauw geschokt is waar het criminaliteit betreft, heeft hij maar een gedeelte kunnen aanzien, en vervolgens Banion opgedragen de opname beeldje voor beeldje door te nemen en er een klinische beschrijving van op te stellen.

Maar de tien minuten of daaromtrent die George wel heeft gezien, zijn hem bijgebleven. Mindy DeBoyer was die hele tijd een dood gewicht, met armen en benen zo slap als nat wasgoed. De in haar donkere haar gevlochten linten waren gemakshalve over haar gezicht geduwd, terwijl haar naakte heupen en een been rustten op de armleuning van een gecapitonneerde fauteuil, alsof het volledig geklede bovenlichaam op de kussens daaronder – het hoofd, het hart – niet bestonden. Dit was misdaad in de zuiverste vorm, waarbij elk meegevoel, het fundamenteelste aspect van de menselijke moraal, verdampte en een medemens louter doelwit was geworden voor ongetemde fantasie. De seksuele handelingen werden verricht met de krachtig pompende bewegingen van pure agressie, en de wijze waarop de jongens zich voor en na aan elkaar tonen, onder het slaken van veel wild geloei, kon niet anders dan pervers worden genoemd: niet in puriteinse zin, maar omdat George voelde dat deze jongens werden beheerst door impulsen die ze onder normale omstandigheden zouden hebben afgekeurd. Maar als het strafrecht ten doel heeft duidelijk te maken dat bepaalde vormen van gedrag niet kunnen worden getolereerd, dan vereist deze zaak toch zeker die verklaring.

'Ik vrees dat ik op dit punt de zienswijze van Summerset moet volgen,' zegt hij. Koll trekt een gezicht. 'Nathan, de verdachten hebben er recht op te worden beoordeeld op wat ze hebben aangevoerd, niet op wat ze níét hebben aangevoerd. Al moet ik erbij zeggen dat Sappersteins bewering over verjaringsgronden me wel aanspreekt. DeBoyer wist dat ze kon zijn verkracht, maar ze heeft gezwegen. Hoe kunnen we zeggen dat het misdrijf verborgen is gehouden?'

'Dat was de conclusie van de rechter aan het einde van het proces,' antwoordt Summer prompt. 'Hij heeft de jonge vrouw zien getuigen. Hij was van mening dat die jongens, gezien haar leeftijd en onervarenheid, haar hebben verhinderd aangifte te doen door haar in onwetendheid te laten. Wij moeten ons door hem laten leiden.'

In Georges opvatting heeft Sapperstein op dit punt zijn belangrijkste bijdrage geleverd door erop te wijzen dat de rechter bij het proces Mindy's leeftijd heeft meegewogen, wat in feite betekent dat hij een uitzondering heeft gemaakt op het verjaringsbesluit inzake misdrijven tegen minderjarigen. In zo'n zaak heeft de minderjarige na de dag waarop ze achttien wordt nog een jaar de tijd om aangifte te doen. Maar Mindy was al negentien jaar en drie maanden toen de video aan het licht kwam.

Zoals Koll zich een ogenblik eerder tot George heeft gericht, kijkt George nu naar Koll.

'Ik vrees dat ik op dit punt de zienswijze van Summerset moet volgen,' antwoordt Koll, nabauwend wat George eerder heeft gezegd. Leer om leer. Niet echt de waardigheid van het recht.

George overdenkt de situatie. Drie rechters en drie verschillende meningen over een zaak die al uiterst omstreden is. Als voorzitter wordt George geacht naar een compromis toe te werken waarmee het hof zich niet belachelijk zal maken. Vernietiging van het vonnis, zonder overeenstemming over de redenen, zal de spanningen nog opvoeren in Glen Brae. Belangrijker is dat het hun taak is de wet uit te leggen, niet hulpeloos de handen te heffen en de wereld toe te roepen: 'Wie zal het zeggen?' Hij besluit dan ook het vonnis zelf te schrijven. Jaren terug, vóór de komst van Rusty Sabich, toen het gerechtshof nog een rusthuis was voor bekwame partijgetrouwen, werd vooraf bij toerbeurt bepaald wie welk vonnis zou schrijven, en afwijkende opvattingen waren vrijwel verboden. In de praktijk betekende het dat een beroep werd ingesteld voor een eenmanshof, waarbij de raadslieden en aanklagers in een juridische vorm van balletje-balletje probeerden uit te maken welke rechter van de drie de beslissing nam.

'Ik neem deze,' zegt hij en staat op, waarmee het beraad is afgelopen.

Kribbig als altijd wanneer hij zijn zin niet krijgt, kijkt Koll George dreigend aan.

'Gaan we bekrachtigen of verwerpen?'

'Tja, Nathan, dan moet je mijn concept maar lezen. Dat

krijg je binnen een week toegestuurd.' Koll zal hoe dan ook zelf een concept schrijven, instemmend of afwijkend, al naar gelang Georges beslissing. 'Deze zaak...' zegt rechter Mason en verstart. Hij heeft nog geen idee hoe zijn besluit zal uitvallen, welk argument hij zal onderschrijven en welk afwijzen. Besluitvaardigheid is een vereiste voor zijn functie, en normaal gesproken is het zijn sterke punt. Zijn onverminderde onbehagen met betrekking tot de zaak-Warnovits blijft zorgelijk, maar niet half zo zorgelijk als wat hij op het punt stond eruit te flappen. Hij heeft geen idee wat het betekent, maar hij heeft op het punt gestaan tegen zijn collega's te zeggen: 'Deze zaak ben ik.'

5

DE GARAGE

In de late jaren tachtig is het gerechtshof van het derde district door de gemeente verplaatst. Zoals overal in Amerika was het aantal processen om schadevergoeding in Kindle County een groeiende bedrijvigheid geworden; door de behoefte aan meer rechtszalen voor civiele zaken in het gebouw van de rechtbank, bijgenaamd de Tempel, hebben de rechters van het gerechtshof zich genoopt gezien anderhalve kilometer verderop hun intrek te nemen, in hetzelfde gebouw waar strafzaken werden behandeld. Met de extra middelen voor de handhaving van recht en orde in de ambtsperiode van Reagan is een forse ruimte voor strafzaken aangebouwd. De rechters van het hof hebben de meeste voorname vertrekken in het oude gebouw toebedeeld gekregen, die dateren uit de periode van rijkdom aan architectonische verfraaiing van overheidsinstellingen: de crisistijd, toen gespecialiseerde vakmensen goedkoop waren. Niettemin waren veel juristen niet gelukkig met de verhuizing, weg uit het centrum van de stad. Aan de overkant van de snelweg liggen verloederde wijken waar het gevaarlijk kan zijn en die weinig gelegenheid bieden om fatsoenlijk te lunchen. Maar George Mason, die zijn carrière in dit gebouw is begonnen als plaatsvervangend toegevoegd advocaat, geniet elke dag van het feit dat hij terug is op zijn oude stek.

In de betonnen parkeergarage naast het gebouw mikt rechter Mason zijn aktetas op de voorbank van zijn auto. Hij draait het sleuteltje een halve slag om de airco te kunnen aanzetten – het is begin juni en weer een benauwde avond – maar hij is nog niet van plan weg te rijden. De Lexus LS 400 uit 1994 is een trofee die nog resteert uit zijn rijke tijd als strafpleiter en hij onderhoudt de auto met liefdevolle zorg, ten dele omdat het de enige ruimte ter wereld is die hij als zijn exclusieve eigendom beschouwt. Hier denkt hij na zijn werkdag vaak na over zaken en persoonlijke besognes, eindelijk bevrijd van de toga waarvan hij het gewicht overal in het gerechtsgebouw voelt, of hij hem draagt of niet.

De schemerige garage zou niet ieders idee zijn van een prettige omgeving om na te denken, al was het maar omdat veel van de gevaarlijkste burgers in de regio zich elke maand in dit gebouw moeten melden nadat ze op borgtocht zijn vrijgelaten. Hoewel Marina's mensen hier overdag scherp surveilleren, is er door de eindeloze bezuinigingen na zes uur, als George er gewoonlijk komt, nog maar een kleine ploeg over. In de loop van de jaren is de garage het toneel geweest van gewapende overvallen, openbare mishandeling en meer dan een schietpartij van de eeuwig concurrerende bendes in Kindle County: de Black Saints Disciples, de Gangster Outlaws en de Almighty Latin Nation, en de 'sets' waaruit de bendes zijn samengesteld. 'Snel naar binnen en snel naar buiten,' luidt het standaardadvies.

Op dit ogenblik houdt de rechter twee jongens in het oog, een lange en een kleine, allebei in sweatshirt, die een paar keer in zijn zij- en achterspiegels zijn opgedoken. Gezien hun uiterlijk neemt hij aan dat de twee hier zijn voor de late middagzitting, waarin drugszaken worden behandeld. Even vreesde hij dat ze hem zouden insluiten, maar even later zijn ze verdwenen. Hoe dan ook, hij is nog niet van plan weg te rijden. De lichte tinteling van gevaar is altijd een van de aantrekkelijkheden van de garage geweest voor George, wiens hele bestaan als jurist is gegrond op de overtuiging dat hij zichzelf het best kent in deze schaduwwereld.

De bestuurdersstoel in zijn auto is zo groot en zacht als een salonmeubel en hij zet hem een eindje naar achteren en een beetje schuin om zichzelf de vraag te stellen die al uren wacht. Wat stoort hem aan de zaak-Warnovits? 'Deze zaak ben ik,' heeft hij enkele uren eerder bijna tegen zijn collega's gezegd. Ik? Hij had willen zeggen dat hij de zaak op zich zou nemen, met een vriendelijk grapje erbij: 'Deze zaak is mijn probleem.' Zelfs die formulering is achteraf bezien ongelukkig, omdat hij wordt geacht uit naam van alle drie de rechters te spreken.

En zo is de innerlijke stemvork gaan trillen. Hij blijft zoeken in zijn geheugen, de ogen gesloten in meditatie, tot opeens datgene opduikt waarnaar hij lang heeft gezocht. Zijn grijns bij de eerste herinnering verflauwt zodra hij beseft wat het probleem is.

Het is ruim veertig jaar geleden gebeurd, in een andere wereld. In Charlottesville zou niemand het indertijd vreemd hebben gevonden hem als eerstejaars te horen zeggen dat hij een heer van beschaving en kennis wilde worden. Hij woonde de colleges bij in colbert met das. Zoals alle mannen in zijn familie was hij kleurenblind. Zijn moeder had hem een archiefkaart meegegeven waarop stond hoe hij zijn kleren moest combineren, maar die kaart was hij kwijtgeraakt en elke ochtend als hij uit het oude studentenhuis naar buiten kwam verwachtte hij bij zijn eerste ontmoeting te worden uitgelachen.

Hij was toen niet gelukkig. Er waren irritaties en opstandigheid bij hem opgekomen waardoor hij uiteindelijk naar Kindle County zou verkassen, zestienhonderd kilometer van huis. Hij had niet alles kunnen benoemen wat hem tegenstond – de niet-aflatende sociale pretenties van zijn moeder, het starre geloof van zijn vader in trouw en eer als levensmotto van een heer uit het zuiden – maar volwassen worden in het rechtlijnige zuiden van Virginia, waar weinig open vragen waren, over God, de yankees of negers, was als opgroeien in een donkere kast. Op de middelbare school was hij al vastbesloten om te ontsnappen en las Kerouac, Burroughs, Ginsberg, barden van de bevrijding waarin hij geloofde als ideaal, al had hij er geen idee van hoe hij dat ideaal in de praktijk moest brengen.

Daarom was het zo belangrijk voor hem dat hij maagd was. Natuurlijk werd dat van hem verwacht, als je het aan zijn dominee of zijn docenten of zijn ouders had gevraagd. Het was 1964. Maar lichaam en ziel hunkerden naar vrijheid.

Zes weken na het begin van zijn eerste studiejaar was het eerste weekendfeest. Omdat hij het had uitgemaakt met zijn vriendinnetje van de middelbare school, een mooi meisje maar nogal bekrompen, keek hij jaloers naar andere meisjes van thuis die op de campus verschenen. George was ongelukkig en alleen. De betrouwbare band van mannelijke kameraadschap, gevormd in de eerste weken, werd verbroken door de bijzondere aandacht die de andere helft van de soort eiste.

Omdat George tijdelijk hun tweepersoonskamer aan zijn kamergenoot had afgestaan, had die een fles goedkope whisky voor hem gekocht. Alcohol was een van de thuis zwaar veroordeelde zonden waarmee George zich al snel had ingelaten, en weldra was George voor het eerst in zijn leven dronken van sterkedrank. Het liep tegen tienen in de avond. De stellen hadden gegeten in een restaurant en gedanst op zweterige corpsfeestjes, en nu gingen ze terug naar de kamers voor de ogenblikken die het belangrijkst waren voor veel van de jongens, tot de avondpermissie afliep en de meisjes terug moesten naar plaatselijke pensions of een naburige hogeschool voor meisjes waar ze konden logeren. Met de fles onder zijn arm liep George zwaaiend de gangen door. De meeste deuren stonden op een kier, zoals voorschrift was, zodat flarden van *Meet the Beatles!* uit geluidsinstallaties naar buiten schalden. George, die wist dat jongens en meisjes in die kamers in elkaars armen lagen te vrijen, werd verteerd door verlangen.

In die toestand kwam hij zijn beste vriend tegen, Mario Alfieri. Mario kwam uit Queens en studeerde op een worstelaarsbeurs en leek even misplaatst in het brave Charlottesville als een vogelbekdier. Met zijn uitbundigheid, schuine grappen en scherpe tong was hij de rebel die George wilde zijn, en ze waren elkaar al snel gaan waarderen. Mario, die met een emmer ijs naar beneden kwam, greep George bij de elleboog.

'Je zult het niet geloven,' zei hij een paar keer, bulderend van het lachen. 'Brierly heeft in de gang boven een meisje dat een trein trekt.'

George kende de term, maar hij keek toch vol onbegrip naar Mario.

'Ik meen het,' zei Mario. 'Ze treedt op voor de troepen in een koelkastdoos. Dus, Georgie mijn jongen, je bent gered. Gered.' Mario wist dat George seksueel een onbeschreven blad was. 'Zorg dat je boven komt.'

'Ben jij geweest?'

'Ik heb toch een afspraak, idioot.' George had het meisje even gesproken. Ze was de zus van een andere worstelaar en Mario was overgehaald haar uit te nodigen, al kende hij haar niet, met de belofte dat ze net zo brutaal was als hij. Joan was nog knapper gebleken dan op het fototje, maar ze was een van die zeldzame meisjes die onder alle omstandigheden iets ongenaakbaars had. 'Daar kom ik vast niet verder mee,' had Mario George toegefluisterd.

'Wat dacht je van de sief?' zei George nu, terwijl hij dacht aan wat er boven zou plaatsvinden.

'Wat dacht je van neuken?' Mario had zijn portemonnee getrokken en er het condoom voor noodgevallen uit gehaald en in Georges hand gelegd. 'Vriendendienst,' zei Mario en duwde zijn vriend met beide handen naar de trap.

Boven trof George een situatie aan die hem volstrekt onwaarschijnlijk voorkwam, ondanks Mario's beschrijving. Een enorme doos, twee en een halve meter lang en ruim een meter hoog, was vastgeklemd op de drempel naar Hugh Brierly's kamer aan het einde van de gang. Uit de open kleppen aan het ene uiteinde zag George een pand van een wit overhemd en vier blote benen naar buiten steken, twee met een broek en een boxershort op de enkels. De jongen zette zich op zijn tenen af terwijl de doos licht meebewoog met zijn inspanningen.

Minstens twintig mannen stonden aan weerskanten van

de doos toe te kijken, allemaal met losgetrokken das en een borrelglas in de hand. Ze stootten elkaar lachend aan en sloegen elkaar op de schouders en gaven obsceen commentaar. Maar ze bleven allemaal strak naar de doos staren. Het was alsof zich daarin het geheim van het vuur bevond. Af en toe keek een van de aanwezigen in de doos en schreeuwde een aanmoediging.

George sloop naderbij tot hij besefte dat hij de kant van de gang had gekozen waar zich de rij wachtenden had gevormd. Hoe dichter hij naar voren kwam, des te sterker voelde hij de enorme spanning die alle toeschouwers in zijn greep leek te hebben. Er klonk een gesmoord geklop in de doos en terwijl George stond te wachten, riep een jongen: 'Gescoord!' De mannen in de gang barstten uit in een gelach dat uitzinnig genoeg leek om de bakstenen uit het gebouw los te maken.

Voor hem in de rij stond Tom McMillan, ook een eerstejaars. 'Ik ga nog een keer,' zei hij tegen George. Het meisje, legde McMillan uit, was in haar eentje bij de footballwedstrijd geweest, gedumpt door de jongen met wie ze had afgesproken. Ze had Brierly en Goren aangesproken, twee jongens uit het studentenhuis, ook zonder vriendin, en was met hen meegegaan. Gedrieën hadden ze urenlang gedronken; de favoriete drank dat weekend was een brouwsel van graanalcohol en vruchtenpunch, te drinken uit een vruchtensapblikje. Op een gegeven moment had het meisje gezegd dat ze met iedereen vriendinnetje wilde zijn en dat was het motief van hun steeds schuinere gesprek geworden, tot de jongens erop hadden aangedrongen dat ze hen niet mocht teleurstellen. Brierly had de koelkastdoos gevonden en het meisje zou er lachend met hem in zijn gekropen.

Terwijl George verder vooraan kwam te staan, kwam

een eerstejaars die Rogers Peterson heette door de gang naar Brierly gedraafd.

'Jezus,' zei hij. 'Jezus. Er zijn hier mensen met hun vriendin. Dit kan echt niet. Wat bezielt jullie? Wat moeten we tegen onze meisjes zeggen?'

'Dat ze niet moeten kijken,' zei Brierly en de aanwezigen begonnen Peterson uit te jouwen. Hij droop af.

De menigte toeschouwers groeide snel. Het gerucht verspreidde zich. Mannen met blazers en dassen hadden zelfs hun vriendin even alleen gelaten om gauw te komen kijken. George voelde hoe zijn nervositeit de whiskynevel verdreef en hij merkte dat er meer toeschouwers waren dan mannen die op hun beurt wachtten. Maar de rij achter hem werd zo snel langer dat hij wist dat er geen tijd was voor besluiteloosheid.

Toen McMillan vooraan stond, stuurde Brierly hem weg.

'Niet nog een keer, voorlopig niet.'

McMillan protesteerde nog toen een kleine, dikke jongen die George niet kende achteruit uit de doos kwam en zijn gulp dichtmaakte.

'Wat een moeras!' zei hij en het gelach schalde door de gang.

Brierly wees naar George. 'Jij bent aan de beurt,' zei hij, 'in de liefdestunnel.' Pas nu zag George dat Hugh geld inzamelde. 'Huur,' zei hij. 'Het is mijn doos.'

Zonder iets te zeggen telde George tien dollar uit, voor hem een week zakgeld.

'Je hebt vijf minuten, Mason. Doe je best.'

Pas nadat hij in de doos was gekropen, maakte hij zijn riem los om zijn broek te laten zakken; hij werd overweldigd door de geur. Iemand, waarschijnlijk het meisje, had overgegeven en de stank hing zwaar in de bedompte lucht, verzadigd van gehijg en zweet. De doos was zo krap dat hij niet echt over haar kon knielen en hij moest op één hand steunen om zijn broek te kunnen losmaken. Het meisje praatte voor zich heen, in halve zinnen, regels uit een liedje, dacht hij, een hoog klinkende verhaspelde tekst. Hij verstond alleen 'hand'.

Toen hij haar aanraakte, sprak ze hem aan. 'Hallo, schatje,' zei ze op lyrische, dronken, zorgeloze toon, schijnbaar genietend van dit kortstondige ogenblik van gevoelloosheid.

Hij wilde deze gelegenheid zo goed mogelijk benutten en verkende het magere meisjeslichaam zonder veel tederheid. Een wollen rok zat in een prop om haar middel en een zijden onderhemdje was tot aan haar schouders opgeschoven. Liggend had ze nauwelijks borsten en tepels als doperwten.

Zodra hij in de doos was gekropen, waar de geur zijn weerzin had opgeroepen, had hij bedacht dat hij alleen maar zijn broek hoefde af te stropen. Hij kon de doos laten bewegen en dan op zondagochtend opscheppen met de andere idioten. Maar daar ging het nu juist om. Niemand kon het weten. Hij was vrij. En hoewel hij doodsbang was, zou hij doorzetten, omdat hij dit ogenblik achter de rug wilde hebben. Er waren twee groepen in de wereld: degenen die het hadden gedaan en degenen die het niet hadden gedaan, en hij was ervan overtuigd dat alle bij zijn leeftijd horende onzekerheden verdwenen zouden zijn zodra hij die kloof had overbrugd.

Toen hij in haar drong, na een gruwelijk ogenblik van gestuntel, werd zijn lichaam verscheurd door een gil uit zijn hart. Onthutsend duidelijk hoorde hij waarschuwingen voor de verdoemenis. Maar dat waren de stemmen waarvan hij zich nu juist wilde bevrijden, en dus ging hij door tot hij klaar was, vastberaden, met een zekere afstand tot gevoelens van genot. Het meisje, kon hij zich herinneren, had haar hand op zijn rug gelegd en geprobeerd onder hem te bewegen.

Na afloop haalde hij zijn broek weer op.

'Gaat het wel?' fluisterde hij nog voordat hij uit de doos kroop.

'O, schatje,' antwoordde ze.

'Nee, ik meen het. Gaat het wel?' Voor het eerst raakte hij haar wang aan.

Ze zong weer, met een plotselinge helderheid die hem beangstigde.

Zijn ogen prikten toen hij terugkwam in het blikkerende neonlicht op de gang. Een paar mannen klopten hem op de rug en grapten over zijn tempo – hij was misschien twee minuten binnen geweest – maar hij wilde ontsnappen aan de beluste groep. Ze hadden er geen idee van wat er werkelijk was gebeurd. Een ogenblik later was hij beneden, waar hij probeerde na te denken over zijn stap van de wereld van zijn fantasie naar de realiteit. De whisky sloeg weer toe.

Joan, met wie Mario Alfieri had afgesproken – en met wie Mario de eerstvolgende zevenendertig jaar zou doorbrengen, tot hij op elf september in de tweede toren van het World Trade Center de dood vond – kwam uit de badkamer die gedurende het weekend voor de dames was gereserveerd. Ze botste bijna tegen George op, terwijl hij zijn shirt in zijn broek propte.

'Wat is er met jou gebeurd?' vroeg ze.

Hij kon geen gepast antwoord bedenken. 'Het leven is vreemd,' antwoordde hij.

Joan, net zo goedgebekt als Mario, keek hem even aan en vroeg toen: 'Vergeleken waarmee?'

Tientallen jaren heeft rechter Mason, als de herinnering al bij hem opkwam – wat niet vaak is gebeurd – die afgedaan als amusante jeugdige onbezonnenheid. Iedereen had een herinnering aan de eerste keer en de meeste waren bizar. Stumperig. Pijnlijk. Het leven en de liefde zijn doorgegaan en hebben een vastere vorm gekregen. Hij heeft er in jaren niet aan teruggedacht en er nooit de term aan gehecht die hij er vandaag de dag aan moet geven: misdadig gedrag.

Hij peinst over de term, de gedachte. Misdadig gedrag? Hij is jurist, hij kan verschillen benoemen. Het is absoluut niet hetzelfde. Toch vertoont het voorval zoveel overeenkomst met de zaak die hij de afgelopen ochtend heeft behandeld, dat hij zich er onbehaaglijk bij voelt. Het meisje was dronken. Ze praatte onsamenhangend. Haar gedrag kon indertijd als instemming worden opgevat. Maar nu niet meer. De mannen op de gang in dat studentenhuis, ook en vooral hijzelf, hebben haar in alle betekenissen van het woord misbruikt.

In het grafdonker van de parkeergarage voelt George Mason hoe zijn hart tekeergaat. Dit is ernstig. Want hij beseft dat hem opeens een troost van de middelbare leeftijd is ontvallen. Natuurlijk, er is sprake van pijnlijke gewrichten, toenemende doofheid en moeite met namen onthouden, zelfs van kanker. Maar over het algemeen niet dit. Toch lijkt zijn wezen nu zo ongrijpbaar als rook. Op zijn negenenvijftigste vraagt George Mason zich af wie hij is.

6

PATRICE

'Hebben we ooit over mijn eerste keer gepraat?' vraagt George die avond in het ziekenhuis aan Patrice. Door de radioactieve behandeling heeft ze haar schildkliertherapie moeten onderbreken en ze voelt zich, zoals ze het uitdrukt, 'zo energiek als mos'. Om zeven uur die avond ligt ze in het ziekenhuisbed in een tijdschrift te bladeren. George is zelf verpakt als een cadeautje: papieren jas, muts en overschoenen, en hij zit achter een op de vloer geplakte streep, zeven meter bij zijn vrouw vandaan. Vanavond heeft hij, nadat hij door de sluis naar haar kamer is gegaan, op drie meter van haar bed gezien dat zijn vrouw beide handen opstak om hem te waarschuwen dat hij niet dichterbij mocht komen om haar te omhelzen. 'Niet zo galant, George. Ik weet dat de verpleegkundige tegen je heeft gezegd dat je niet bij me mag komen.' Hij moet de burritos die hij heeft meegebracht op een roltafel leggen, zodat ze zelf kan pakken.

Ondanks de verplichte afstand wordt het een knus bezoek, in een veel betere sfeer dan met de aan de gevangenis herinnerende telefoons. Patrice verheugt zich erop dat ze misschien al de volgende avond naar huis mag en heeft allerlei montere suggesties voor wat ze 'haar leven als stralingsrisico' noemt. Maar de vraag die hij haar heeft gesteld komt uit het niets, en Patrices ogen, die felblauw zijn als edelstenen, kijken hem scherp aan, waarbij ze haar ene wenkbrauw heeft opgetrokken.

'Ik bedoel seks,' voegt hij eraan toe.

'Dat begrijp ik, George,' zegt ze en ze richt haar blik op de intercom die op een metalen paal bij haar bed staat. George maakt zich echter geen zorgen. Er komt een luid geblaat uit de luidspreker voordat de verpleegkundigen kunnen meeluisteren. Maar wat telt is dat de herinneringen uit de garage op hem drukken als de zware steen die van een graf is gerold. Hij heeft zitten wachten op het juiste moment om dit alles met Patrice te kunnen bespreken en is er opeens over begonnen, wetend dat de verpleegkundigen hem zo meteen zullen wegsturen. De stralingsgevoelige sticker die ze hem hebben opgeplakt is nog groen, maar de balk wordt korter.

'Heb ik dat ooit verteld?' vraagt hij. Patrices verhaal kent hij al tientallen jaren. Op haar zeventiende, met een man van zesentwintig, op wie ze hartstochtelijk verliefd meende te zijn. De achterbank van een auto. Het gebruikelijke gedraai. En achteraf het besef dat ze maar één verlangen had: het te hebben gedaan, niet die opvallend knappe, waardeloze vriend van haar oudere broer.

Patrice fronst en slaat weer een pagina om. 'Niet dat ik

me kan herinneren, Georgie,' zegt ze en voegt er onderkoeld en licht sarcastisch aan toe: 'Misschien zegt het iets dat ik er nooit naar heb gevraagd.'

Hij ploegt door, in de hoop dat ze hem kan helpen.

'Ik moest eraan denken,' zegt hij, 'in verband met een zaak.'

'Wat voor zaak?'

'Die met de vier jongens? Uit Glen Brae?' Hij dwingt zichzelf te zeggen: 'De verkrachting. Ik heb je verteld dat we die vandaag zouden behandelen.' Onderweg hierheen heeft George een verslag op de radio gehoord. 'Dramatische ontwikkelingen,' zei de verslaggever. Een van de rechters had over vernietiging van het vonnis gesproken. Opname van Sapperstein op het bordes van het gerechtsgebouw, alsof Nathan Koll hem niet een dolkstoot in de rug heeft toegediend. George verlangt voortdurend terug naar de tijd dat het openbare discours nog objectief en gepast verliep, zonder bemoeienis van mensen die aan alles hun eigen draai geven.

'Hoe is het gegaan?' vraagt Patrice, die al niet meer weet wat hij haar die middag aan de telefoon heeft verteld. Het is een van de onoplosbare kwesties tussen hen dat ze zijn beroep niet helemaal serieus neemt. Haar verrichtingen als architect zijn tastbaar. Gebouwen kunnen de eeuwen doorstaan. Vooral schoonheid is tastbaar. Juristen daarentegen goochelen maar wat met woorden. Omdat Patrice het juridische bedrijf zo vaak als lachwekkend beschouwt, en advocaten als een zwerm onbeheerste neurotici, kan ze genieten van Georges beschrijving van de strijd tussen Jordan Sapperstein en Nathan Koll. Voor haar is het een virtuele reisbureauposter van het land dat Recht heet. Ondanks haar vermoeidheid lacht ze voor het eerst die avond.

'En waar sta jij nu in deze zaak?' vraagt ze.
'Niet achter Koll. Niet helemaal.'
'Waar dan wel?'
'Dat weet ik eigenlijk niet. Maar ik zit ermee. En op een of andere manier. Nou ja, daarom vroeg ik dat. Of ik het je had verteld. Omdat opeens tot me doordrong dat mijn ervaring wel iets weghad van...' Hij komt niet verder.
'Waarvan?' Hij hoort een ondertoon van verontrusting.
'De zaak-Warnovits.'
'Kom nou, George. Ik weet zeker dat het heel anders was.' Het is geruststellend bedoeld, maar er klinkt verontwaardiging door in haar stem. Zoals ze al opmerkte, zegt het misschien iets dat ze er nooit naar heeft gevraagd. Ze is niet alleen toeschouwer, laat ze hem weten. Seks is immers belangrijk. Dat schreeuwt de cultuur. Het is de ondertoon van ons bestaan. Het blijft, net als de dood, een van de vooraf bepaalde bestemmingen in het leven en is dus een land van profetische betekenis wanneer men daar aankomt.
Inmiddels zijn haar fijngevormde trekken versomberd en haar blik die op hem rust is alerter geworden.
'George, volgens mij ben je uit je doen.'
'Waarom zeg je dat?'
'Doe niet zo naïef, George. Het is niets voor jou om te piekeren over een zaak. Je hebt je aandacht er niet bij. Heb je je mobieltje al gevonden?'
Hij pakt het verkeerd aan. Dat ziet hij wel in. Het hoort nu om haar te gaan en kennelijk wil ze dat George nu is zoals hij altijd is. Beheerst. Evenwichtig. Een hondstrouwe man. En het is ook absurd van haar te vragen om medelijden te hebben met hem, omdat zij met haar sterfelijkheid is geconfronteerd. Erger nog: Patrice zou dat zien als een gebrek aan vertrouwen. Als ze morgen naar huis

gaat, of misschien overmorgen, wenst ze zichzelf als genezen te beschouwen. De kwaadaardige cellen die waren binnengedrongen, zijn uitgeroeid en zullen dus geen beslag kunnen leggen op hun toekomst. Ze wil dat George arm in arm met haar de toekomst tegemoet schrijdt, zonder omkijken.

'Met mij is het best, maatje,' zegt hij.

Een klop op de deur. Zijn uur is om. Bij de deur zwaait hij haar vrolijk toe.

'Morgen thuis,' zegt hij. 'Geen ziekenhuis meer.'

'Geen ziekenhuis meer,' herhaalt ze.

In de sluis tussen de kamer en de ziekenhuisgang verwijdert George de laag papier waarin hij is gehuld en duwt die in de speciale zak die hij heeft gekregen toen hij binnenkwam. Een technicus bestrijkt hem met een fel oranje geigerteller, zo groot als een walkietalkie. Hij mag weg. Terwijl hij met lange passen door de schel verlichte ziekenhuisgang loopt, passeert hij de deuropeningen die vaak de omlijsting vormen voor in het voorbijgaan waargenomen portretten van verdriet. Maar hij blijft denken aan zijn vrouw.

Toen George Patrice leerde kennen, was hij derdejaars rechtenstudent en zij tweedejaars aan Easton College. Een keer stond hij bij de campus van Easton voor rood licht te wachten, keek opzij en zag een MG Roadster, met open dak in de zon. De aanblik van de bestuurster trof hem diep. De verzorgde, volmaakte schoonheid van dit meisje zal eeuwig duren, dacht hij; op haar negentigste zal ze nog oogverblindend zijn. Toen ze George zag staren, deed hij of hij naar de dobbelstenen keek die aan de achteruitkijkspiegel hingen, in plaats van naar haar.

'Ik heb nooit begrepen waar die voor zijn,' zei hij door zijn open raampje. 'Die dobbelstenen? Brengen die geluk?'

Hij had de indruk dat de dobbelstenen alleen het zicht zouden belemmeren.

Haar antwoord was een koel lachje.

'Dat zou ik mijn vriend moeten vragen,' zei ze. 'Het is zijn auto.'

Het licht sprong op groen en ze reed door, maar de volgende keer dat hij haar zag, op een feestje, herkende ze hem.

'Ik ben er niet achter gekomen waar die dobbelstenen voor waren,' zei ze. 'Maar na je vraag besefte ik dat het leukste aan die jongen zijn auto was.'

Hij dacht toen dat hij in aanmerking kwam, voordat ze hordes mannen van zijn leeftijd achter zich aan had, misschien zelfs voordat Patrice besefte dat ze een veel betere man kon krijgen. Als George nu zegt dat hij omhoog is getrouwd, dat zijn vrouw meer kan dan hij, is dat geen valse bescheidenheid. Maar zoals altijd dacht Patrice ook toen verder vooruit dan hij. Ze wist toen al hoe hij was en ze had haar eigen plan. Ze wilde iemand die solide was en trouw, een man die haar kon steunen en die haar bewonderde. Ze studeerde architectuur en ze is een uitblinker geworden, zoals hij had verwacht. Na de geboorte van hun tweede zoon heeft ze vrijwel alles opzijgezet. Naderhand is ze zich gaan bezighouden met woningbouw: niet de hoogste toppen in de architectuur, popmuziek terwijl ze symfonieën had kunnen componeren. Maar ze klaagt nooit. Patrice heeft altijd veel beter geweten wat ze wilde dan de meeste mensen.

Hij is nu in Nearing, bijna thuis. Ze wonen hier al bijna een kwart eeuw en hebben het huis gekocht toen George voor zichzelf begon. Het was een startershuis, maar in de loop van de tijd heeft Patrice er haar eigen ideeën in verwerkt. Er hebben vier afzonderlijke verbouwingen plaatsgevonden die Patrice, anders dan haar man, telkens als de komst van een nieuwe lente heeft begroet. Wat oorspronkelijk een bungalow met plat dak in landelijke stijl was, is nu een huis van drie verdiepingen met een vide en allerlei toegepaste-kunstdetails en een vleugje Frank Lloyd Wright, driemaal zo ruim als het origineel.

Omdat de smaak van de burrito in zijn mond is blijven hangen, pakt George in de keuken een fles water uit de koelkast en neemt die mee naar zijn werkkamer, waar hij bekijkt wat de postbode heeft bezorgd en zijn e-mail leest. George is er nog niet overheen dat Patrice zo afwijzend reageerde toen hij de zaak-Warnovits vergeleek met iets uit zijn eigen verre verleden. Zijn vrouw is op zulke momenten geneigd perfectie van hem te eisen. Hij is immers haar geweldige George: bijna net zo knap als zijzelf, met goede manieren, geliefd, de huisvader van een gezin dat, zoals een van hun kennissen lang geleden heeft gezegd, zo op het omslag van een verzendcatalogus kan.

Het is voor beiden een succes geworden omdat hij net zulke hoge eisen aan zichzelf stelt, een neiging die met de jaren had kunnen afnemen als hij niet voor de magistratuur had gekozen. Het rechterschap is volgens George in wezen een arrogante bezigheid. Als advocaat weigerde hij zijn cliënten te veroordelen. Dat liet hij over aan alle anderen in het systeem – de politie, de aanklagers, de jury's en de rechters. Daar hadden ze hem niet voor nodig. Maar een rechter heeft tot taak uitspraak te doen over goed en kwaad: een hachelijke onderneming, omdat het impliciet inhoudt dat je zelf verheven bent boven de zwakheden die je veroordeelt. Sinds hij zich herinnert wat er veertig jaar terug in een koelkastdoos is gebeurd, beschouwt hij dat als een deerniswekkende vertoning.

Het incident, dat tientallen jaren in flarden in het geheugen is blijven hangen, komt nu in langere episodes bij hem op. En terwijl hij zich aan zijn bureau installeert, valt George opeens in dat het niet afgelopen was met de grappige opmerking over het leven van Joan, het meisje dat naderhand met Mario zou trouwen.

'Bij de gekruisigde Christus, in de bibliotheek ligt een meisje te slapen,' zei de prefect van het studentenhuis, Frank Grigson, de volgende ochtend tegen George. Het was acht uur en in het oude gebouw hing de slaperige sfeer van een zondagmorgen. Grigson en George hadden de enigen kunnen zijn die na de feestnacht al op waren. Grigson was op weg naar de kerk en George kwam terug van de wc, waar hij nogmaals had overgegeven. Hij was er iets beter aan toe, maar zijn hoofd voelde nog steeds als de klepel in een luidende kerkklok.

'Doe ons allemaal een lol,' zei Grigson. 'Zoek uit bij wie ze hoort en laat haar door hem afvoeren.' Als het meisje werd ontdekt, zou de strenge rector het huis de rest van het halfjaar geen uitgaanspermissie meer geven.

George sloop naar de deur van de bibliotheek. Het was een mooie ruimte, met een wandbekleding van licht eikenhout waarin generaties studenten hun initialen hadden gekerfd. De ingebouwde boekenkasten stonden vol met oude in leer gebonden boeken. Op de gehavende wijnrode bank tegenover de deur lag een meisje te slapen. Ze was slank, met kastanjebruin haar en had een Schotse rok met franje aan. Er zat een groot gat in haar dunne panty, ter hoogte van de kuit. George had aan één blik genoeg om te weten wie ze was.

Op de bovenverdieping bonsde hij op Hugh Brierly's deur tot Brierly op de drempel verscheen, slechts gekleed in zijn pyjamabroek.

'Je liegt het,' zei Brierly. Hij beweerde dat hij haar had

begeleid naar het bordes van het studentenhuis en had aangeboden vervoer voor haar te regelen, maar dat het meisje bezig was nuchter te worden en had gezegd dat ze zichzelf wel kon redden.

'Dus je hebt haar niet thuisgebracht?' vroeg George. Als heer – of een aantal heren – kon je je gang gaan met een meisje in een koelkastdoos, maar het druiste in tegen een code die George als heilig had leren beschouwen om haar na afloop niet thuis te brengen.

'Ben je gek, Mason. Ik weet niet eens waar ze vandaan komt. Ze zat op de tribune bij de wedstrijd. Wat had ik dan moeten doen? Haar terugbrengen naar Scott?' Hij bedoelde het stadion.

'En wat denk je er nu aan te doen?' vroeg George.

'Ik? Jij hebt er net zoveel mee te maken gehad als ik. Zet jij die slet maar buiten,' zei Brierly, en deed de deur dicht. Denkend aan de handvol 'huur' die Brierly de vorige avond had geïnd, bleef George nog een tijdje bonken, maar Hugh deed niet meer open. Voor zover George zich kon herinneren, hadden ze nadien nooit meer een woord gewisseld.

Beneden was het meisje wakker geworden. Ze zag er niet uit. Gezeten op het kale Perzische tapijt steunde ze tegen de muur en haalde haar vingers door haar lange haar, dat plakkerig was door alles waar het de afgelopen nacht mee in aanraking was gekomen. Haar rode gezicht wekte bij hem de indruk dat ze allergisch was of verkouden. De grote gouden speld die haar kilt bijeen moest houden was scheef teruggestoken en ze had een grote paarse vlek van vruchtensap op haar blouse. Toen ze George in de deuropening zag staan, was haar blik doordringend.

'Wat moet je?'

De vraag, herinnerde hij zich, had hem met stomheid geslagen. Want hij had plotseling beseft dat er inderdaad iets was dat hij van haar wilde. Nu George Mason er ruim veertig jaar later aan terugdenkt, in de ruime leren bureaustoel in wat voorheen zijn advocatenkantoor was, blijft hij roerloos zitten. Als een explosievenexpert kruipt hij door de tunnel van zijn geheugen. Het luistert nauw. Eén verkeerde beweging en zijn kans is verkeken, want hij hoopt voor één ogenblik in de huid te kunnen kruipen van het groentje van destijds. Wat had hij van haar gewild, toen hij op de drempel stond? Geen vergiffenis. Hij zou zichzelf te veel eer aandoen door te denken dat zijn fatsoensbesef zo ver vooruitliep op zijn tijd. Het was indertijd geen moment bij hem opgekomen dat ze niet alles uit vrije wil had gedaan. Waarschijnlijk schaamde hij zich omdat hij had gezondigd; misschien had hij gêne gevoeld toen hij haar terugzag. Misschien had hij haar in een opwelling verwijten willen maken of uitschelden, zoals Brierly had gedaan. Maar op de drempel van de oude bibliotheek had hij, hoe belachelijk of onwaarschijnlijk het ook was, maar één ding gewild: contact maken. Hij had waar iedereen bij was gemeenschap met haar gehad terwijl ze vrijwel van de wereld was. Ze hadden zich op die fundamentele manier met elkaar verenigd. Volgens Euclides was een rechte lijn de kortste verbinding tussen twee punten, hoe groot de onderlinge afstand ook was, en op dat ogenblik zou George Mason hebben gezegd dat dat ook voor seks gold. Was het instinctief dat er een schat aan tederheid met de daad gepaard ging? Terwijl hij naar haar keek, voelde hij zich wanhopig omdat ze niet eens wist hoe hij heette.

Dus stelde hij zich voor. Hij liep naar haar toe en omdat hij niet wist wat hij anders moest doen, hield hij haar zijn hand voor. Ze drukte hem krachteloos.

Bibliotheek Koksijde
Casinoplein 10
8670 Koksijde

Terminal:Uitleenstation Laag

Lener:Tahon, Raymond#M#19300728

Uitgeleend op 09-10-2013

Materialen nog thuis

Nr. 1: De grenzen van de wet

Barcode: 1037544
Inleverdatum:15/10/2013

Openstaand bedrag:EUR2,50
Voor betalingen ga naar de betaalautomaat

Dank voor uw bezoek en tot ziens

'Kan ik iets voor je doen?' vroeg hij.

Ondanks zijn goede bedoelingen riep de vraag een golf van wanhoop op die kort haar rode gezicht tekende, voordat ze zich weer beheerste. George begreep maar al te goed waarom ze haar vingertoppen tegen haar slapen drukte.

'Haal maar sigaretten voor me,' zei ze. Ze tilde het lege pakje op dat ze met haar rechterhand had verfrommeld en liet het op de bank vallen. 'Ik moet een sigaret hebben.'

Hij bleef wachten, nog steeds van dezelfde gevoelens vervuld.

'Je hebt niet gezegd hoe je heet,' zei hij.

Ze vertrok haar gezicht, maar gaf toe; kennelijk beschouwde ze dit als de prijs die ze moest betalen.

'Ook dat nog,' zei ze. 'Geweldig, George. Ik ben Lolly. Viccino.' Ze wendde zich af en liet haar hoofd weer tegen de muur rusten. 'Ik ben Lolly Viccino en ik wil graag een sigaret.'

Terwijl hij dat allemaal uit zijn geheugen opdiept, moet hij opeens denken aan de vier jongens uit Glen Brae die hij die ochtend op de voorste rij in de rechtszaal heeft gezien. Hun achterban en hun advocaten hebben hoog opgegeven van het voorbeeldige gedrag van elk van de jongemannen in de afgelopen jaren en Sapperstein heeft zijn best gedaan om ze in hun donkere pakken en met keurig geknipte haren te laten overtuigen in hun rol. Maar wat de verdediging ook zou doen om hem te polijsten, Jacob Warnovits zal nooit een goede indruk kunnen maken. Hij is een crimineel met een strafblad: vier keer eerder gearresteerd, als scholier en als student. Maar de andere drie verdachten, die allemaal hun bachelor hebben gehaald, hebben zich elk op hun eigen wijze onderscheiden. Een van hen, een derdejaars corpsstudent aan een universiteit in het oosten van het land, had uitzicht op een aanstelling bij de staf van een vrouwelijk Congreslid, toen hij in staat van beschuldiging werd gesteld. Een tweede was de man achter een initiatief om kinderen in een achterstandswijk te leren schaatsen en zette zich daar nog steeds voor in als vrijwilliger. De derde was tot zijn veroordeling verbonden aan de sportfaculteit van de Mid-Ten-universiteit waaraan hij op een hockeybeurs had gestudeerd.

Vanuit zijn hoge rechterstoel had George het viertal bestudeerd. Een van de jongemannen zag er vroeg oud uit; zijn sluike haar werd al dun en hij was zo mollig geworden dat hij in niets meer op een sportman leek. De rechter hoopte dat dat Warnovits zou blijken te zijn, al wist hij dat de natuur zelden rechtvaardig vormgeeft. Maar de andere drie waren aantrekkelijke jonge mannen met goede vooruitzichten; terwijl er over hun lot werd gesproken, keken ze toe met de schichtige, ongelovige blik die je kon verwachten van iemand die merkt dat één uur, nu zeven jaar geleden, beslissend kan zijn voor de rest van zijn leven.

Terwijl George zich de mannen weer voor de geest haalt, trekt hij de vergelijking met de jongen die veertig jaar eerder op de drempel van de bibliotheek stond. Waarom zou hij aannemen dat hij een beter karakter had dan zij? Is het niet waarschijnlijk dat een van de jongens – misschien zelfs elk van de jongens – naderhand een opwelling van fatsoen heeft gehad, van schaamte jegens Mindy DeBoyer, van meeleven? Natuurlijk niet voldoende om de zaak recht te zetten, om een ambulance of haar ouders te bellen. Maar toen ze haar als een slapend kind weer aankleedden, of haar in haar bewusteloze toestand de trap af droegen, heeft toen geen van hen gereageerd op het gewicht, de warmte van een menselijk wezen?

Er klinkt een storend geluid, een getjilp uit zijn computer dat aangeeft dat hij nieuwe e-mail heeft. Hij en zijn zoons mailen elke avond over hun moeder, haar stemming en haar toestand. Een foto van de jongens, allebei kerngezond en knap om te zien, staat op zijn bureau. Patrice en hij hadden dat deel er goed afgebracht, al laat Patrice zich zelfs op dit onderwerp nog wel eens sarcastisch uit. 'Wat heb ik verkeerd gedaan?' vraagt ze, als ze moet toegeven dat allebei haar zoons advocaat zijn geworden. Peter heeft een compromis gevonden en zich gespecialiseerd in het recht met betrekking tot de bouw. Hij heeft zich onlangs verloofd. Pierce, de jongste, werkt voor een reusachtig amusementsbedrijf in L.A.

Maar zodra het programma is geladen, ziet George dat hij geen post van zijn zoons heeft. Het afzendervak en het onderwerpvak vertonen de vertrouwde kenmerken. De woorden van de Fanaat, weggestopt na de retourmededeling, luiden: 'Goede raad', gevolgd door de blauwe letters van een link. Door te klikken komt George terecht op de site van een bekende levensverzekeringsmaatschappij. Daar staat als kop: 'Bent u een getrouwde man? Plan dan vooruit. Waarschijnlijk leeft uw vrouw langer dan u.'

George knijpt zijn ogen dicht en probeert te verwerken dat de Fanaat nu ook zijn huis is binnengedrongen. Maar dat lijkt voorlopig alleen een ergernis. Zijn geest is nog niet helemaal teruggekeerd uit het Virginia van veertig jaar geleden, waar hij als een zwervende schim nog zoekt naar Lolly Viccino.

7

DE PRIMUS

Als George Mason woensdagochtend naar de voor rechters gereserveerde plaatsen in de parkeergarage rijdt, wacht Abel Birtz hem tweehoog bij de trap op om hem te begroeten. De dag daarvoor is Abel laat in de middag, een uur na Marina's vertrek, bij de receptie verschenen, heeft zich op de groene skai bank laten zakken en ter verklaring gezegd: 'Ik ben uw bodyguard, meneer.' George heeft zijn best gedaan om een vriendelijk gezicht te trekken.

'Het spijt me dat je daar je tijd mee moet verdoen, Abel.'

'Nee, nee. We nemen de zaak serieus.'

Van meet af aan heeft George het probleem gezien met Marina's plan om hem een lijfwacht te bezorgen. De financiële ruimte van de beveiliging is zo krap dat ze niet hun nuttigste medewerker kunnen opdragen hier duimen te komen draaien. Abel, die bij de politie van Kindle County heeft gewerkt, is spraakzaam en er steekt geen kwaad bij, maar hij heeft betere tijden gekend. Zijn kaki jasje, met het embleem van het hof op de borstzak geborduurd, mist een halve meter stof om dicht te kunnen over zijn buik. Bij het begroeten van de rechter heeft hij verscheidene pogingen nodig gehad om van het kussen op de bank overeind te komen, waarbij zijn grote, vlezige gezicht rood is aangelopen. En hij heeft artritis in zijn ene heup. Hij zwaait zijn been opzij en naar voren als ze door de overdekte overloop tussen de parkeergarage en het gerechtsgebouw lopen. God sta ons bij, denkt George, als de Fanaat toeslaat en wij moeten rennen voor ons leven.

En er is nog een problematisch aspect aan Abels aanwezigheid, dat pas tot George doordringt als hij de gekwelde blik ziet waarmee Dineesha hem begroet terwijl ze door de klapdeuren naar zijn kamer lopen. Hoewel geen van beiden er iets aan kan doen, hebben Dineesha en Abel een pijnlijke voorgeschiedenis.

George en Patrice hebben Dineesha ruim twintig jaar geleden ontmoet op een ouderavond die Dineesha bijwoonde als moeder van Jeb, een beursstudent op de Morris School. Jeb, die nu plastisch chirurg is in Denver, zat in dezelfde klas als Pete, de oudste zoon van de Masons. Maar het was Dineesha's oudste zoon Zeke door wie haar band met George is versterkt. Omdat ze wist waarmee hij zijn brood verdiende, was Dineesha bij George gekomen toen Zeke was gearresteerd. Het was niet de eerste keer dat Zeke was aangehouden, maar ditmaal – beschuldigd van brandstichting, samen met andere bendeleden, in het huis van een jongeman die uit de bende wilde stappen – hing hem een gevangenisstraf boven het hoofd. Het was een zware beschuldiging, maar de jongen deugde toch niet, en de politie wilde wel eens resultaten laten zien. Mogelijk was Zeke erbij geweest, maar George kwam tot de overtuiging dat hij dan hoogstens had toegekeken.

George nam de zaak pro Deo aan en won, maar Dineesha stond erop extra typewerk voor hem te doen bij wijze van betaling. Al spoedig was ze niet meer weg te denken uit Georges kantoor, en datzelfde gold voor Zeke. Als eerstejaars in Charlottesville had George heftige debatten gevoerd met zijn medestudenten over de wet op de burgerrechten die, naar zijn overtuiging, voor de negers de weg naar maatschappelijke vooruitgang zou openen. Hard werken. Je houden aan de regels. Een opleiding volgen. Hij had geen idee van de gevaren die zwarte jonge mannen bedreigden zoals Zeke, die door liefhebbende, ambitieuze ouders waren opgevoed. Wie kon zeggen waar Zekes problemen waren begonnen? Waarschijnlijk met een minder academische aanleg dan de twee jongere kinderen in het gezin. George ziet het als een vaste regel van het gezinsleven dat kinderen de ruimte nemen die hun gegeven wordt, en in Dineesha's gezin bleek die ruimte een cel in Rudyard te zijn, de penitentiaire inrichting waar Zeke twee keer heeft gezeten. Hij is nu weer op vrije voeten en komt nog vaak bij zijn ouders langs om mee te eten en geld te vragen. Tegenwoordig laat George vermaningen aan zijn assistente over ouderliefde en grenzen stellen maar achterwege. Maar nu hij Abel op drie meter van Dineesha's bureau ziet staan, beseft hij hoe pijnlijk dat voor haar moet zijn. Het is Abel Birtz geweest die Zeke heeft aangehouden in verband met de inbraak waarvoor hij de eerste keer heeft gezeten.

George denkt dat dat allemaal te lezen is in de misprijzende blik waarmee ze bij het binnenkomen worden begroet, maar Dineesha heeft nog een reden om zich eraan te ergeren dat haar baas met Abel staat te kletsen. Ze tikt met haar vinger op haar horloge.

'De primus?' zegt ze tegen hem. 'Het veld van eer?'

'Ai!' roept George en zet het op een lopen.

Als reactie op de protesten van de appelrechters over hun verhuizing naar de troosteloze wildernis achter de snelweg is er een kleine sportfaciliteit ingebouwd met een squashbaan, die alleen is toegevoegd omdat het de ideale benutting was van een grote luchtkoker. Grapjassen noemen de baan 'het veld van eer'. Hier kan ook de oude vorm van handbal worden gespeeld die de voorkeur heeft van de primus van het hof, Rusty Sabich: met handschoenen aan een kleine rubberbal wegmeppen en opvangen. Hij en George nemen het twee keer per week tegen elkaar op.

'Georgie!' In de kleine kleedkamer trekt de primus van het hof juist zijn sportbroekje aan als rechter Mason gehaast en met duizend excuses binnenkomt. De mannen zijn al sinds het begin van hun loopbaan bevriend. Sabich was indertijd plaatsvervangend aanklager bij de rechtbank waar George aanvankelijk werkte als toevoegingsadvocaat, en de eerste drie maanden fluisterde Rusty hem vaak nuttige suggesties in wanneer ze voor rechter White stonden. 'Verzoek om een gegarandeerde datum.' 'Wijs hem erop dat de ouders hun huis aanbieden als onderpand voor de borgsom.' In de loop van de tijd hebben ze regelmatig recht tegenover elkaar gestaan, maar nadat de pijn van het verlies is weggeëbd, kan de confrontatie in de rechtszaal vaak een vriendschap versterken. Rusty, die nogal wat politieke invloed heeft, heeft er tien jaar terug voor gezorgd dat George zich als rechter kon kandideren.

'Ik moet met je praten,' zegt de primus.

'We hebben geen achterstand,' zegt George. Een van

Rusty's vele hervormingen in het hof is dat alle zaken waarin is gepleit vóór de jaarlijkse termijnafsluiting behandeld moeten zijn, over twee weken dus. Hij heeft een einde gemaakt aan de vroegere praktijk dat uitspraken die voor bepaalde politieke zwaargewichten teleurstellend konden uitvallen, jarenlang op de plank bleven liggen. Nu moeten de rechters het hele jaar door vonnissen schrijven om te voorkomen dat er een niet weg te werken achterstand ontstaat. Maar dat is niet waar Rusty nu aan denkt.

'Paar andere dingen,' antwoordt hij.

Ze staan in de wasruimte, waar George zijn handen in warm water houdt om de kans op kneuzingen te verkleinen. De primus heeft zijn veiligheidsbril al opgezet en masseert het balletje om het zachter te maken.

'De Fanaat,' zegt hij, en zwijgt even. Een glimlach schiet als een vis in het water voorbij. 'Geen grap, George. Een serieuze zaak.'

'Rusty,' zegt George, die de primus van het hof alleen onder vier ogen bij zijn voornaam aanspreekt, 'hoe is het verdomme mogelijk dat je daarvan weet?'

'Marina heeft het me gisteravond verteld. Angstaanjagend,' zegt de primus, 'zeker als ze gelijk heeft wat Corazón betreft. De enige manier waarop hij zoiets voor elkaar kan krijgen is volgens mij als de Almighty Latin Nation een bewaker plat heeft. En de Dienst Penitentiaire Inrichtingen heeft alle mensen die in de extra beveiligde inrichting werken ongelooflijk streng gescreend. De bendes kunnen waarschijnlijk net zo ver komen als de maffia indertijd.'

'Rusty, ik heb Marina nadrukkelijk gevraagd er met niemand anders over te praten, en zeker niet over Corazón. Ik wil niet nog meer onrust bij mijn mensen en bovendien geloof ik er zelf niet erg in.' Zeker na de e-mail van de afgelopen avond. Hoeveel invloed de ALN ook kan uitoefenen, of de set van Corazón, de Latinos Reyes: hoe kunnen die weten dat Patrice ziek is? Maar het besef dat hij Marina niet in de hand heeft, sluit uit dat hij haar inlicht over het mailtje. Anders krijgt hij een huis vol onderzoekers en vierentwintiguursbewaking, geen omgeving waarin hij zijn zieke vrouw terug wil brengen.

'Rustig, Georgie, ik ben haar baas. Bovendien denkt ze dat er een gunstig kantje aan kan zitten.'

'Hoezo?'

'Ze kan het gebruiken om bij de gemeente gedaan te krijgen dat er fondsen worden vrijgemaakt voor betere beveiliging van het gerechtsgebouw.'

'En daarbij word ik ingezet om de urgentie aan te geven?' George doet geen poging zijn ergernis te onderdrukken. Hij heeft de kwestie thuis geheimgehouden en nu wil Marina, die kennelijk haar eigen agenda heeft, alles breeduit in de krant hebben.

'Nee,' zegt Rusty. 'Geen sprake van. We hoeven tegenover de gemeentecommissie geen namen te noemen. Maar na die moord in Cincinnati kan dit misschien dienen om wat bezuinigde dollars terug te halen. Laten ze maar wat minder mensen inzetten om in het buitengebied te surveilleren.'

Marina mag graag spotten dat de gemeente haar vorig jaar heeft gedwongen haar tweemanssurveillance in de garage te laten uitvoeren door een agent met een Duitse herder, en dat ze dit jaar de herder willen vervangen door een chihuahua. Met de dreigementen van de Fanaat in handen weet Rusty de gemeente misschien over te halen meer fondsen ter beschikking te stellen, omdat er naar hem vaak wordt geluisterd.

Het is aan jonge mensen soms lastig uit te leggen hoe

Rusty Sabich kan gelden als de verpersoonlijking van de publieke moraal, terwijl hij toch twintig jaar geleden als openbare aanklager is beschuldigd van moord op een vrouwelijke collega, en daarvoor ook is berecht. George heeft vanaf het begin achter hem gestaan en het verbaasde hem dan ook niet toen bleek dat de zaak tegen Rusty een gênante affaire was, een treurige combinatie van slecht laboratoriumwerk, zoekgeraakt bewijsmateriaal en onbetrouwbare getuigen. Het enige waar nu nog discussie over is, is of de toen pas gekozen aanklager, die Rusty als een mogelijke rivaal beschouwde, hem erin heeft geluisd of, zoals George meent, alleen te gretig onjuiste conclusies heeft getrokken.

In elk geval beschikte Sabich als erkend slachtoffer van een gerechtelijke dwaling over unieke kwalificaties om rechter te worden. Hij is in 1988 in dit hof gekozen en vervolgens primus van het gerechtshof geworden, door hetzelfde schandaal dat ertoe heeft geleid dat George rechter is geworden. Rusty is de gedoodverfde opvolger bij het hooggerechtshof van de staat zodra Ned Halsey afstand doet van wat informeel 'de blanke mannenzetel' wordt genoemd, dit in tegenstelling tot de twee andere zetels bij het hooggerechtshof die voor Kindle County zijn gereserveerd: die worden, overeenkomstig de huidige politieke verhoudingen, toegekend aan iemand uit een etnische minderheid en een vrouw.

Maar Rusty heeft er een bepaalde afstandelijkheid aan overgehouden die soms aan arrogantie grenst. Sinds hij van moord is beschuldigd, is hij voortdurend bezig zijn rug recht te houden. Zijn leven is door de ervaring zo scherp in tweeën gedeeld alsof iemand er een streep doorheen heeft getrokken. George heeft begrip voor de mens die Rusty door de affaire is geworden, vaak depressief en soms bemoeiziek, zoals nu net met Marina, en vrijwel altijd op zijn hoede, maar een enkele keer ergert het hem toch. Afgezien daarvan is hij een uitstekende primus van het hof. Hij heeft zich een bekwame manager getoond en hij heeft zijn publieke status gebruikt om de leiding van het hof te onttrekken aan de partijbonzen, waardoor het een gerespecteerde juridische instantie is geworden.

Samen bukken ze nu om door de halfhoge deuropening van de baan te lopen. Fysiek zijn ze aan elkaar gewaagd: allebei vrij lang, in goede conditie, en grijs. Rusty is met de jaren wat zwaarder geworden en George is nu misschien iets sneller dan hij, maar dat is geen compensatie voor het feit dat Rusty dit spel als jongen al speelde en intuïtief weet hoe de bal zal reageren. Hij wint strijk-en-zet en hij gunt George met wederzijds goedvinden punten, twee per set van eenentwintig punten, één punt als de wedstrijd gaat naar degene die het elfde punt maakt. George maakt zich zo druk over Marina dat hij als een bezetene speelt en de eerste game wint met 21-17.

'Zo houd je niets over voor de tweede game,' zegt Rusty terwijl ze even bijkomen bij de waterkoeler.

'Kleineer een ander, ouwe lul. Volgens mij moet je eindelijk een stapje terugdoen.'

'Nog een,' zegt Sabich.

George legt zijn handen op zijn knieën. Rusty heeft gelijk, hij heeft veel van zichzelf gevergd.

'En dan mijn volgende punt, George. Hoe zit het met je verlenging?'

'Ik heb nog twee weken.'

'Formeel,' zegt Rusty. 'Maar luister, George. Er zijn honderdvijftig rechters bij de rechtbank die verder kijken. Je weet hoe het beneden toegaat. Iedereen wordt er doodziek van. Al die processen. Al die verzoeken. Advocaten met hun gelul. Ik ben van de week zes keer gebeld. Nathan niet meegeteld.'

'Koll?' Nathans post wordt wegbezuinigd, reden voor Jerry Ryan, die aangewezen was om hem op te volgen, om zich gepikeerd terug te trekken. Nathan heeft nog twee jaar te gaan, dus hij moet een andere reden hebben.

'Dat zijn aanstelling nog twee jaar doorloopt, wil niet zeggen dat hij zich niet kandidaat kan stellen voor een volledige termijn als er een vacature ontstaat. Ik wed dat hij zijn griffiers twee keer per dag naar beneden stuurt om te kijken of je in bent voor verlenging. George, dat kun je ons niet aandoen. Wij zijn je vrienden.' Rusty glimlacht. Hij is degene die het hooggerechtshof heeft gestimuleerd Nathan tijdelijk te benoemen, in de overtuiging dat de beroemde rechtsgeleerde het hof meer cachet zou verlenen. Tegenwoordig zegt hij dat hij Nathan graag ter beschikking van de wetenschap zou stellen – levend en wel. 'Serieus, George. We hebben je hier nodig. Laat je niet van de wijs brengen door de dreigementen van die druiloor.'

Het is een niet-uitgesproken kwestie. Rusty maakt al ruim tien jaar de dienst uit bij het hof en hij wil niet dat iemand hem voor verrassingen stelt. Als George niets voelt voor verlenging van zijn aanstelling, had hij dat allang aan de primus moeten melden.

'Dat is het niet, Rusty. Ik wou er alleen mee wachten tot het gedoe met Patrice achter de rug is.'

'Natuurlijk. Maar als je aanleiding geeft voor valse hoop, maak je onnodig vijanden. Dien je aanvraag in. En over Nathan gesproken: waar is hij mee bezig in de zaak-Warnovits? Ik zag gisteren een bizar stukje in de *Tribune* over je mondelinge behandeling.'

Net als iedereen vindt Rusty de geniepige aanval van Koll op Sapperstein erg komisch.

'Wil hij op die gronden verwerpen?' vraagt Rusty.
'Of zich afzonderlijk aansluiten.'
'Meen je dat?' Rusty zet grote ogen op terwijl hij zijn inschatting maakt. Een van de dingen waarmee Rusty zich als primus bezighoudt, is het beschermen van het aanzien van de beslissingen die het hof neemt. Maar er is een grens. De rechters bevragen elkaar graag over abstracte juridische kwesties, maar het is ondenkbaar dat een rechter een afloop suggereert van een zaak die hij niet zelf behandelt.
Zonder nog iets te zeggen gebaart Rusty George weer naar de baan. Halverwege de tweede game, bij de stand 10-10, beseft George dat hij de energie niet meer heeft om het op een tiebreak te laten aankomen. Hij kan alleen maar hopen dat hij deze game wint. Voor elk punt pauzeert hij om zijn longen te vullen en zichzelf te dwingen zich tot het uiterste te concentreren. Terwijl het 20-19 voor George staat en hij mag serveren, maakt hij een einde aan een lange rally door een wanhopige uitval naar een prachtig passeershot van Rusty. De bal ontglipt aan Georges vingers, stijgt op als een duiker en daalt in slow motion naar de onderkant van de muur. George heeft gewonnen.
'God nog aan toe,' zegt Rusty. Het hele jaar heeft George hem nog niet met twee lovegames verslagen.
George raapt de bal op en ziet dat Rusty met zijn hand tegen de deur staat.
'Dus als ik het goed begrijp, zit het zo. Koll wil verwerpen omdat de video niet gebruikt had mogen worden, jij wilt verwerpen omdat de zaak verjaard zou zijn en Summer is het met beide gronden oneens. Is dat de situatie?' Mismoedig bedenkt George dat zijn triomf voor een deel te danken is aan de omstandigheid dat de primus was afgeleid door de zaak-Warnovits.

'Dat is één scenario. Ik moet het vonnis schrijven en ik weet waarachtig niet wat ik ga doen, Russ.'

'Dat is een hele opluchting. George, kijk uit dat Nathan je niet in de tang neemt.'

'In de tang?'

'Ga maar na. Als je de uitspraak van de rechtbank verwerpt op grond van verjaring, wat gebeurt er dan?'

'Dan is het afgelopen.'

'Precies. Maar wat gebeurt er als je Nathans bezwaar aanvoert?'

George haalt zijn schouders op. Zo ver heeft hij nog niet doorgedacht.

'Denk eens na,' zegt de primus. 'Als jullie volhouden dat de video ontoelaatbaar bewijs was, kunnen de aanklagers de zaak opnieuw in behandeling nemen. Dan hebben jullie al bepaald dat de zaak niet verjaard is, en dus krijgen de aanklagers een jaar vanaf de vonnisdatum om de zaak opnieuw aanhangig te maken. Klopt het tot nu toe?'

'Ik kan je volgen.'

'Dat betekent dat de aanklagers alle vier de mannen van afluisterpraktijken zullen beschuldigen. Ja toch? Dan wachten de aanklagers vervolgens af wie van de vier zich het eerst meldt om een verklaring over de verkrachting af te leggen. De ergste van die jongens zal van beide misdrijven worden beschuldigd. De molens van het recht malen langzaam,' zegt Rusty, 'maar ze malen.

En stel dat jij doorzet? Drie verschillende opvattingen? Dan kunnen we wel meteen het alarmnummer bellen. Dan wordt de zaak terugverwezen zonder aanwijzing voor de rechtbank op welke grond een nieuwe behandeling moet stoelen. Of we behandelen de zaak nogmaals met een plenum of, en dat is waarschijnlijker, het hooggerechtshof komt eraan te pas. En dan ben jij kandidaat voor verlenging nadat je in een geruchtmakende zaak hebt besloten vier rijke blanke verkrachters op technische gronden vrij te spreken, in een vonnis waarbij geen van de andere rechters zich wil aansluiten en dat hoogstwaarschijnlijk zal worden verworpen. Ik bedoel: Jezus, George, dan komt er pas echt gedonder van.' Rusty raakt de doorweekte schouder van Georges T-shirt aan. 'Vraag je maar eens af of Nathan dat niet allemaal in zijn hoofd heeft doorgeëxerceerd voordat hij gisteren aanschoof. Hij maakt gehakt van je en pikt dan je post in omdat je je onmogelijk hebt gemaakt.'

Na deze wijze les vertrekt Rusty en George blijft vol twijfel in de hoge, witte ruimte achter. Hij is er niet van overtuigd dat Koll zoiets in zijn schild voert. Tot de complexe gedachtegang die Rusty hem toeschrijft, is Nathan zeker in staat. Maar niet tot de compromissen. Volgens Koll is de wet een kwestie van strenge rede, vrij van persoonlijke motieven. Van Rusty, eenmaal vals beschuldigd van moord, is het begrijpelijk dat hij geneigd is sluwe en complexe plannen te vermoeden om hem en zijn vrienden onderuit te halen.

Maar wat de praktische gevolgen betreft als George besluit de uitspraak van de rechtbank op grond van verjaring te verwerpen, heeft de primus ongetwijfeld gelijk. Feministes en minderheden, vrijdenkers en conservatieven: de rechter die erin slaagt al die groepen tegen zich in het harnas te jagen, brengt zijn verkiezing in gevaar. George is wel praktisch ingesteld, maar hij wil liever niet een loopje met zijn geweten nemen om de gewenste verkiezingsuitslag te verzekeren.

Dat is wat hem het meest stoort, beseft hij. Het gesprek is alle perken van fatsoen te buiten gegaan. Dat maakt George met Rusty nu en dan mee. Hij is zo gewend aan zijn rol als degene die de integriteit in eigen persoon is, dat over al zijn uitlatingen en handelingen een waas van rechtzinnigheid hangt.

Het siert Rusty dat hij zelf inmiddels zijn bedenkingen heeft als George de kleedkamer binnenkomt. Sabich zit op een smalle houten bank tussen de rijen kastjes, met een handdoek om zijn uitdijende middel en zijn kin op zijn grijze borsthaar.

'George, ik geloof dat ik daarnet beter een sok in mijn mond had kunnen stoppen. Zullen we het hele gesprek maar schrappen? Het spijt me.'

'Mij best.'

'Ik maak me zorgen over je, dat weet je.'

'Ja.' Dat neemt George wel aan, hoewel Rusty altijd het gerechtshof het belangrijkst zal vinden, dat is zijn monument. 'Rusty, ik sla je opvattingen al dertig jaar in de wind. Het is een gewoonte geworden.'

Ze lachen elkaar toe.

'Het is een lastige zaak, Rusty. Ik heb er veel moeite mee.'

'Je weifelt?'

Hij weet niet waar hij het moet zoeken. Na de herinneringen die de vorige dag bij hem zijn opgekomen, wil hij niet eens naar een beslissing toe werken voordat hij meer vrede met zichzelf heeft gekregen.

'Hoe is het met Patrice?' vraagt de primus van het hof. George stelt voor zichzelf vast dat er een verband is. In dat verband ziet Rusty de zaak. Patrice is ziek. George heeft moeite in het spoor te blijven. En misschien heeft hij gelijk. George brengt hem op de hoogte van de medische stand van zaken. De dokter heeft gezegd dat hij verwacht dat Patrice vanavond naar huis mag.

'Dat is prachtig,' zegt Rusty en de mannen, die naast elkaar op de bank in de kleedkamer zitten, laten een stilte vallen waarin de zaak-Warnovits eigenlijk nog steeds het onderwerp is.

'Rusty,' vraagt George ten slotte, 'is een rechter onbekwaam als iets in een zaak hem aan zichzelf doet denken?'

Pas nadat hij de vraag heeft gesteld, beseft hij hoe beladen de vraag is. Waarschijnlijk ziet Rusty zijn eigen spiegelbeeld in het gezicht van elke verdachte.

'Maar ze moeten ons toch aan onszelf doen denken, George? Is dat niet begrepen in de barmhartigheid?' De primus komt overeind en biedt hem voor de zekerheid zijn hand aan. 'Je was stukken beter dan ik.'

'Dat zeker.'

'En wat je ook met de zaak doet, zal het juiste zijn.'

George schudt weifelend zijn hoofd. 'Het is alleen...'

'Wat?'

Wanneer George uitgesproken is, ziet hij aan het versomberen van Rusty's ogen dat hij hem diep heeft getroffen.

'Wie zijn wij?' heeft George zijn vriend gevraagd. 'Wie zijn wij dat wij een oordeel uitspreken?'

8

HET CONCEPT

'Ik hoor van Kolls griffier dat wij het Warnovits-vonnis doen,' zegt Cassandra Oakey, die op donderdagochtend de kamer van de rechter binnenstormt als George nog maar net een ogenblik binnen is. 'Dus wat wordt het?'

'Wat wordt het?'

'Ja, wat gaan we met de zaak doen? Ik heb het bij John nagevraagd. We zijn nog geen van beiden aangewezen om het concept op te stellen. Over twee weken loopt de termijn af.'

Cassie is de roulerende griffier van de rechter. De andere griffierspost, die door John Banion wordt bekleed, is permanent, maar Cassies post wordt elk jaar door een nieuwe ouderejaars rechtenstudent bekleed. Over twee weken komt er een nieuwe ouderejaars van de Northwestern-universiteit en Cassie zal hem tien dagen inwerken, voordat ze aan de slag gaat bij een stichting die juridische bijstand verleent aan minvermogende immigranten. Ze is voorbestemd een mooie carrière in het recht te maken, maar de rechter kan niet zeggen dat het hem zal spijten haar te zien vertrekken. Hij kent Cassie, de dochter van Harrison Oakey, een van Georges voormalige kantoormaten en beste vrienden, al van voor haar geboorte, en voor haar heeft hij zijn bezwaren opgeschort tegen het aanstellen van iemand die zo dicht bij hem staat. Veel van zijn collega's doen het ook en Cassie is ruimschoots gekwalificeerd voor de baan. Als briljante student heeft ze George gevleid door liever bij hem griffier te worden dan bij een federaal gerechtshof. Bij haar onderzoek en haar teksten heeft ze onberispelijke prestaties geleverd.

Maar Cassie is zo'n veelzijdig getalenteerd iemand – briljant, tenniskampioen geweest, een lange, opvallende asblonde vrouw – die zo zelden door de wereld is afgewezen, dat ze nauwelijks haar grenzen heeft leren kennen. Ze laat zich geregeld gedachteloos al te vrijmoedig uit, vaak met iets gewichtigs in haar houding, alsof ze zelf de rechter is. Ze stormt zonder kloppen bij de rechter binnen, zoals ze zojuist heeft gedaan, en spreekt hem ondanks herhaalde terechtwijzigingen vaak met 'George' aan waar anderen bij zijn, een vrijheid die zelfs Dineesha zich niet meer permitteert. Af en toe voelt George zich als een leeuwentemmer die een stoel moet grijpen om Cassie op veilige afstand te houden.

'Ik bedoel,' zegt ze terwijl ze naar het grote bureau van de rechter loopt, 'we gaan toch bekrachtigen?' Voor Cassie, een jonge vrouw van haar tijd, ligt de zaak zwart-wit. Als hij aarzelt, zakt haar mond een beetje open. 'Nee! Je gaat toch niet met Koll mee? Dat de video niet als bewijsmateriaal toegelaten had mogen worden? Dat is toch totaal geschift? We kunnen nu geen nieuwe aspecten in overweging nemen.'

'Ik denk nog over bepaalde dingen na, Cassie.'

'O ja? Waarover dan?'

Barmhartige God, denkt hij. Nog minder dan vier weken.

'Ik pieker nog over de verjaringsgrond. Ik heb het artikel wel dertig keer overgelezen. Er staat dat als de verdachten handelingen ter verhulling verrichten, de tijdslimiet wordt opgeschort, en ik citeer: "gedurende de periode dat die handelingen beletten dat het misdrijf bekend wordt". Einde citaat. Maar het meisje heeft tegen haar beste vriendin gezegd dat ze mogelijk was verkracht.'

'Ik dacht dat de rechter in het proces had gezegd dat ze te jong was om te weten dat ze naar de politie kon stappen.'

'Dat heeft hij inderdaad gezegd. Maar er zit iets in de opmerking van Sapperstein. Er is door de wetgever nog een andere uitzondering gemaakt, maar ook dan is de tijdsduur beperkt. Ben je eenmaal achttien, en dan word je dus verondersteld te weten hoe de wereld in elkaar steekt, dan heb je nog een jaar de tijd om de autoriteiten in te schakelen. Dat heeft Mindy DeBoyer niet gedaan. Is het juist dat de rechter in het proces haar leeftijd gebruikt om de termijn verder op te rekken dan de uitzondering voor misdrijven jegens minderjarigen toestaat?'

'O,' zegt Cassie. Kennelijk heeft ze niet snel haar reactie klaar. 'Moet ik dan twee voorlopige versies opstellen? Een bekrachtiging en een verwerping op grond van verjaring?'

'John heeft het memo voor het hof opgesteld, Cassie.' Gewoonlijk stelt de griffier die de stukken voor de mondelinge behandeling heeft opgesteld ook het vonnis voor de rechter op. Voor de zaak-Warnovits heeft Banion niet alleen de video uitgeschreven, maar ook op Georges verzoek het extra onderzoek naar verjaring gedaan.

'John zegt dat hij het best vindt. Ik heb nu wat meer tijd.'

Cassie is niet democratisch ingesteld; ze wil altijd het interessantste werk. Banion vindt het vast vervelend, maar hij klaagt niet gauw. Toch heeft de rechter zich maandenlang ingespannen om te voorkomen dat Cassie John onder de voet loopt en hij zegt dat hij het eerst met Banion zal opnemen.

Cassie knikt, maar blijft staan; haar blonde pagekapsel omlijst een bedenkelijk kijkend gezicht.

'Mag ik iets zeggen?' vraagt ze, natuurlijk zonder het antwoord af te wachten. 'Ik begrijp echt niet hoe je die jongens zomaar kunt vrijlaten. Alles heeft ze altijd al meegezeten in hun leven. Dat verdienen ze niet nog een keer.'

'Het gaat niet om wat die jongens toekomt, Cassie. Allerlei mensen ontspringen bij gelegenheid de dans. Niet elke schuldige kan worden veroordeeld.'

'Maar het recht moet toch onpartijdig zijn?'

'Waarom eisen we dan bewijs waaraan in rede niet kan worden getwijfeld? Waarom zijn er verjaringsgronden?'

'Als je het mij vraagt, zouden die er niet moeten zijn. Niet als er een videoband is.'

'Ten eerste ben ik de wetgever niet.'

Ze spreekt zijn laatste vijf woorden met hem mee. Kennelijk heeft hij die opmerking er het afgelopen jaar goed ingeslepen. Hij weet uit eerdere opmerkingen van Cassie dat ze het een beetje laf vindt om zich achter de wetgevers van de staat te verschuilen. En ze heeft gelijk: die uitspraak lijkt soms gevaarlijk op een rechtersversie van: 'Ik doe alleen wat me wordt opgedragen.' Maar voor George is niets zo belangrijk in het werk van een rechter als weigeren eigenmachtig op te treden.

'En ten tweede,' vervolgt hij, 'bepaalt de wet al eeuwen dat elke boef, met uitzondering van een moordenaar, na een zeker tijdsverloop mag doorgaan met zijn leven, zonder de slagschaduw van eerder begane vergrijpen. Stel je eens voor dat de videoband na veertig jaar was opgedoken, in plaats van na vier jaar.' Het voorbeeld rolt hem spontaan uit de mond; de reden ligt zo voor de hand dat hij zich erover verbaast dat zijn stem niet trilt. 'Ingevolge het oordeel van de rechtbank zouden de verdachten, als er geen verjaringsclausules waren, over veertig jaar nog kunnen worden veroordeeld. Zou je ze dan nog willen zien voorkomen?'

'Je bedoelt als het oude mannetjes zijn geworden?'

'Dat is wat kras...' George glimlacht. 'Laten we zeggen: mannen van middelbare leeftijd. Maar als je niet wilt dat er over veertig jaar nog kan worden vervolgd, waarom wil je dan nu wel vervolgen? Hoe kan de inhoud van een wetstekst alleen door het verstrijken van de tijd veranderen?'

Ze schudt haar blonde hoofd en wil zich niet uitspreken.

'Kom op, mevrouw de rechter,' zegt hij. 'Uitspraak doen.'

Cassie profiteert van haar familiaire positie door bij wijze van antwoord haar tong uit te steken, waarna ze snel de kamer uit loopt. De rechter gaat bij het raam staan. De bomen langs de snelweg beneden zijn van de sprankelende voorjaarsnuances verkleurd naar de meer uitgesproken tinten van de zomer.

Hij weet dat Cassie op één punt gelijk heeft. Er moet een beslissing komen. Uiteindelijk stelt dit werk maar één essentiële eis: kom tot een besluit. En kijk niet achterom. Besluitvaardigheid is in veel opzichten belangrijker dan gelijk hebben. Een paar keer per jaar wordt een beslissing van George terugverwezen door het hooggerechtshof van de staat, waarbij de vertegenwoordigers van buiten de hoofdstad graag de rechters uit de grote stad op hun nummer mogen zetten. Het doet pijn, maar het enige wat je kunt zeggen is: zo denken zij erover. Het hooggerechtshof heeft meer macht, dus heeft het gelijk. Het recht voelt op zulke ogenblikken even willekeurig als een droom. Maar zonder besluit is er geen proces.

Toch kan hij, als hij zich weer op de zaak-Warnovits probeert te concentreren, niet ontsnappen aan zijn eigen betrokkenheid. Zijn gedachten gaan terug naar Virginia en de bibliotheek in het studentenhuis waar hij Lolly Viccino de volgende ochtend aantrof. Omdat ze om sigaretten had gevraagd, had George in de mensa een pakje Winston, een uitsmijter en een kleine cola gehaald. Ze schrokte het eten naar binnen en depte toen precieus haar mondhoeken voordat ze het servetje gebruikte om haar loopneus mee te snuiten.

'In elk geval hebben ze hier nog één galante man,' zei ze. 'De meisjes zeiden dat alle jongens hier zo galant waren, en dat wilde ik zelf wel eens zien.' Ze keek zorgelijk bij die gedachte. Meer hadden ze over de afgelopen avond en nacht niet gezegd.

Net als nu wist hij ook toen niet hoeveel ze zich kon herinneren, of hoe goed. Lolly stak een sigaret op en hulde zich in rook.

'Ik vroeg me af,' zei hij.

'Wat?'

'Of ik je kan helpen thuis te komen?'

Ze richtte haar blik direct op hem. Kennelijk had hij

haar beledigd, haar laten merken dat ze niet welkom was. Hij verwachtte een verwijt, maar even later vulden haar kleine bruine ogen, die zo hard waren geweest als glas, zich met tranen. Ze drukte haar vuist tegen haar neus en begon met een enkele snik te huilen. Dat verklaarde haar verschijning, besefte George: de waterige ogen, de loopneus. Ze zag eruit alsof ze al dagen huilde.

Ze trok de mouw van haar blouse over haar pols en veegde er haar gezicht mee af.

'Ga weg,' zei ze tegen hem. Ze vloekte en herhaalde haar afwijzing.

Toen hij na een uur terugkwam, was ze er nog steeds. Ze stond tegen de houten wandbekleding geleund te roken. Het pakje was halfleeg. Ze keek George vernietigend aan, herkende hem toen en probeerde met een grimas haar veroordeling teniet te doen. Kennelijk waren andere bewoners wakker geworden en hadden haar vanaf de drempel aangestaard.

Hij ging op de vloer naast haar zitten.

'Ik heb toch zo'n rotleven,' zei ze. 'Je hebt geen idee wat voor een rotleven ik heb.'

'Waardoor?'

'Ik ben van de week van Columa getrapt,' zei ze. Dat was de hogeschool voor meisjes verderop aan de weg. 'Ik bedoel: ik werd "verzocht te vertrekken". Je weet hoe ze die dingen zeggen.'

'Ja.'

'Ik voerde ook niks uit. Ik wist dat het erin zat. Maar...' Ze begon weer te huilen. Hoe ze van het ene ogenblik op het andere van spijkerhard zo weerloos kon worden, begreep hij niet goed. Maar nu slaagde ze erin met horten en stoten haar verhaal te doen. Het was vrij simpel: ze kon nergens heen. Haar vader had het gezin tien jaar geleden laten zitten. Het afgelopen jaar had haar moeder een man ontmoet en zodra Lolly het huis uit was gegaan, was haar moeder hertrouwd. Nu wilde de moeder haar dochter hoogstens nog een dag of wat in huis hebben. Ze was niet van plan haar nieuwe huwelijk onnodig onder druk te laten zetten door Lolly's mislukking. Lolly moest zichzelf maar zien te redden.

George had indertijd al beseft dat hij te jong was om dit allemaal volledig te kunnen bevatten. Het was onvoorstelbaar dat zijn ouders hem ooit op deze manier zouden afwijzen. Hij wist welke bewoordingen zijn moeder spontaan zou gebruiken voor een milieu als dat van Lolly. Maar wat toen nog niet ten volle tot hem doordrong, was wat ze hem over zichzelf had verteld. Hij moest nog de reactie van honderden of zelfs duizenden jonge mensen meemaken op een afwijzing: afkeer van zichzelf, een buitengewoon destructieve kracht. Niets wat Lolly die dag en nacht was overkomen, was voor George Mason nu nog een mysterie.

Indertijd begreep hij alleen maar dat zij ongelukkiger was dan hij. Klasgenoten en medestudenten die er ellendig aan toe waren hadden hem altijd afgeschrikt. Het was een slecht voorteken. Een paar keer de verkeerde richting kiezen in zijn eigen geestelijke dolhuis en het zou hem op dezelfde manier te veel kunnen worden. Zijn meningsverschillen met zijn strenge vader, de desillusies van zijn moeder – als hij daaraan toegaf, kon hij net zo worden als dit meisje: volstrekt stuurloos. Zwijgend bleef hij een poosje naast Lolly Viccino zitten; hij strafte zichzelf stilzwijgend met de stichtelijke woorden die zijn vader in de mond zou hebben genomen, maar was onuitsprekelijk opgelucht dat hij haar niet was.

9

IEMANDS KIND

Tegen het einde van de termijn valt er altijd nog veel werk te doen. Er komen conceptvonnissen binnen van bijna alle rechters in het hof en George moet prudente beslissingen nemen over welke een speciale opmerking van hem verdienen, hetzij met een instemmende strekking, hetzij met een afwijkende, waarbij hij rekening moet houden met wat hij of de griffiers kunnen afkrijgen in de tijd die nog rest.

Donderdagmiddag is hij zelfs voor de lunch niet uit zijn stoel gekomen. Hij heeft zijn werk alleen onderbroken voor telefoongesprekken met Patrice. Hij heeft haar woensdagavond mee naar huis genomen, maar ze moet nog drie dagen met beperkingen leven. Ze mag niet naar buiten, omdat ze nog een meter bij andere mensen vandaan moet blijven. Om dezelfde reden hebben de artsen erop aangedrongen dat George en zij nog drie nachten niet het bed zullen delen. Ze hadden allebei plezier in hun grapjes over radioactieve liefde, maar ondanks een verlangende blik heeft Patrice hem naar zijn werkkamer gestuurd, waar hij op de slaapbank heeft geslapen. Het goede nieuws is dat ze zich minder lusteloos voelt sinds ze weer aan de synthetische thyroxine mag.

Net als hij weer de telefoon wil pakken, wordt George verrast door boze stemmen die door de gang schallen. John en Cassie kijken even bij hem om de hoek vanuit hun aanpalende kamertje en haasten zich dan naar de gang. George volgt hen. Dineesha is er ook. Abel heeft het met iemand aan de stok. De man lijkt tegen de dertig en oogt als een bendelid: glanzend wit jack, laaghangende broek, in rijtjes gevlochten kroeshaar en een verguld pistool ter grootte van een Derringer om zijn nek. Opgewonden stemmen snerpen uit Abels portofoon aan zijn riem terwijl de man elke keer naar Abel uithaalt als die probeert hem te pakken te krijgen. Hij kent kennelijk de kreet over de aanval als beste verdediging.

'Man, hou godverdomme je poten bij je, anders wordt het een drama.'

De lift maakt een ping-geluidje en twee bewakers in kaki komen door de marmeren gang aangerend. Een ogenblik later levert de andere lift nog drie mannen van de bewakingsdienst af. Ze hebben allemaal hun radio op maximum geluidssterkte staan en de jongeman wordt snel overmeesterd en geboeid.

'Ik heb hem wel tien keer gevraagd wat hij kwam doen,' zegt Abel tegen Murph Jones, een lange zwarte man die Marina's rechterhand is.

'Ik wou naar de plee,' verklaart de man die is aangehouden.

'Dat kan toch ook beneden,' zegt Abel. De afzonderlijke liften naar de etage van het gerechtshof zijn niet vrij toegankelijk en bewakers in kaki vragen beneden om legitimatie voordat iemand naar boven mag. Maar de trappen aan de beide uiteinden van het gebouw zijn open in verband met brandvoorschriften. Vreemden, ook mensen die eruitzien zoals deze jongeman, maken daar geregeld gebruik van en dringen soms zelfs door tot de gang die alleen voor de rechters bestemd is.

'Daar is het veel te druk,' zegt hij. Tijdens de ochtendzitting van tien uur is het beneden voor de ruimten waar strafzaken worden behandeld zo druk als op een busstation in het spitsuur. 'Ik moet nodig.'

'En hoe ben je boven gekomen?' vraagt Murph.

'Gewoon, man. Ik moest hier zijn. Voor een zaak.' Hij bedoelt dat hij zich bij de rechtbank heeft moeten melden in verband met een zaak die nog moet worden behandeld. Het gaat erom dat hij aantoont dat hij zich niet aan zijn borgtochtverplichtingen onttrekt.

'Wat voor zaak?' vraagt Murph.

'Gezeik over 323. Daar krijg ik niks voor.' Lidmaatschap van een criminele organisatie, bedoelt hij. Rondhangen met andere jongens zoals hij, of rijden achter een auto vanwaaruit wordt geschoten. Voor de zekerheid pakt de politie iedereen op, maar de aanklacht loopt vrijwel altijd op niets uit.

'Voer maar af,' zegt Murph.

'Man o man,' is de reactie. 'Dat is nou Amerika. Naar het bureau omdat je moet pissen.'

Ze zullen hem de rest van de dag vasthouden, maar als natrekken niets oplevert, wordt hij voor donker heengezonden. Vier beveiligers in kaki houden de man vast, maar ze komen niet ver. Ze worden opgehouden door de komst van Marina, die haar hand opsteekt om aan te geven dat ze het overneemt, terwijl ze verrassend atletisch verder draaft. Bij George aangekomen vraagt ze of alles goed met hem is.

'Mij is niets overkomen,' zegt George. 'Abel is de held.' Hij is vlotter in actie gekomen dan George had verwacht.

'Zo'n stuk stront...' zegt Abel, maar hij maakt zijn zin niet af.

'Het bevalt me niet, meneer,' zegt Marina zodra ze op de hoogte is gebracht. 'Ik denk aan Corazón.' Ze dempt haar stem om te voorkomen dat de arrestant verderop in de gang haar kan verstaan, maar de naam die George haar heeft gevraagd te verzwijgen, is toch hoorbaar voor zijn medewerkers langs de muur. Dineesha, John, Cassie en Marcus, de gerechtsbode, kijken allemaal tegelijk op.

'Marina, die jongen is zwart. Die heeft niets te zoeken bij de ALN. Heb je een ster gezien, Abel?' Alle aangesloten leden van de Almighty Latin Nation hebben een tatoeage van een vijfpuntige ster tussen hun pols en duim.

'Het is een Saint,' zegt Abel. 'Hij heeft Chinees aan zijn hand.' De Black Saints Disciples zijn de laatste jaren overgestapt op Chinese karakters, omdat de politie zo de ene 'set' moeilijk van de andere kan onderscheiden.

'De bendes van de latino's en de zwarten, dat is water en vuur,' zegt George.

'Och kom, meneer. U weet net zo goed als ik dat in de bak de bendes deals met elkaar sluiten. Ze voeren elkaars afrekeningen uit. Zo hebben de voor de hand liggende verdachten een alibi. Corazón beseft heel goed dat we uitkijken naar een latino.'

Marina heeft gelijk wat het functioneren van de bendes betreft, maar dat betekent nog niet dat deze man door Corazón is gestuurd. Zo is hij ongewapend. Toch is het voorval verontrustend, omdat de rechter betwijfelt of de nood echt zo hoog was. De man is hier gekomen om de boel te verkennen; maar misschien ging het hem om diefstal in plaats van geweld, of gewoon een dwars verlangen ergens in te dringen. Niettemin is het de eerste vage aanwijzing dat de aanwezigheid van de Fanaat zich verder kan uitstrekken dan het elektronische fantasieland internet.

Terwijl de mensen van de bewakingsdienst de indringer afvoeren, klinkt er aan de andere kant van de privégang van de rechters geschreeuw.

'Hé,' schreeuwt iemand. 'Hé! Wat moeten jullie met mijn maatje?'

Een forse man komt zelfverzekerd de gang in. Zijn verschijning is wat subtieler dan die van de arrestant: dezelfde laaghangende broek met jack, maar minder goud, en een stretch mutsje zoals footballspelers met lang haar onder hun helm dragen. Dineesha reageert als eerste, maar George herkent de man op hetzelfde ogenblik. Net als Abel, die een gesmoorde kreet laat horen. Het is Zeke, de oudste zoon van Dineesha.

Zeke is nog altijd Zeke, groot en joviaal, niet op zijn mondje gevallen. 'Hallo, Mason. Mamma,' zegt hij en hij slaagt erin zijn moeder een kusje op de wang te geven in dezelfde beweging waarmee hij naar Georges hand grijpt.

'Meneer,' prevelt Dineesha vermanend en trekt zich zonder een woord te zeggen terug. Zeke kijkt haar met een meewarig lachje na. Hij is bijna twee meter lang en zal zo'n honderdvijfendertig kilo wegen. Zijn krullende baardstoppels zijn waarschijnlijk modieus.

De contouren van Zekes verhaal komen overeen met die van zijn vriend. Hij is uit solidariteit met zijn vriend Khaleel meegegaan naar de rechtbank. Toen Khaleel beneden te lang moest wachten voor de wc, heeft Zeke hem gewezen hoe hij naar boven kon. Door zijn bezoekjes aan zijn moeder kent hij het hier natuurlijk.

'Beetje vreemd,' zegt Marina, 'dat je je moeder niet even gedag hebt gezegd.'

Daar moet Zeke om lachen. 'Ik wil haar niet storen op haar werk,' zegt hij.

Daar slaat George van op tilt. Zeke komt vaak langs – veel te vaak naar de zin van zijn moeder – en banjert hier dan rond en groet iedereen alsof ze erop hebben gewacht een handtekening van hem te krijgen. Het is duidelijk dat Zeke een reden heeft gehad om Khaleel naar boven te sturen. Misschien moest Khaleel kijken of Dineesha aan het werk was, zodat Zeke haar kon benaderen voor geld, of misschien moest hij kijken of ze er niet was, zodat Zeke bij George kon aankloppen voor een gunst. Of misschien was hij hier, zoals Marina wel zal geloven, met een sinister voornemen. Het maakt niet uit. De mannen hebben hun verhaal klaar en er is geen goede reden om ze vast te houden. Niet dat dat Marina of haar collega's van de politie ervan zou weerhouden ze een tijdje op te bergen, onder andere omstandigheden. Maar nu zijn de jongens niet zomaar dubieuze types. Zeke is iemands kind. De handboeien worden afgedaan en de vrienden wandelen de gang uit, kennelijk ingenomen met zichzelf.

'U weet wat ik denk,' zegt Marina tegen George. Hij laat het haar uitleggen nadat hij zijn mensen naar hun werkplek terug heeft gestuurd. Corazón heeft Zeke gevonden in het netwerk van de bendes dat ze eerder heeft beschreven en Zeke zou opdracht hebben gehad George af te leggen als voorbereiding van een toekomstige gebeurtenis. 'Laten we ze allebei natrekken,' zegt Marina met gedempte stem tegen Murph voordat ze vertrekt.

In Georges omgeving wordt gezwegen in een grafstemming vol vrees en sympathie voor Dineesha. Ze zit niet aan haar bureau. George denkt dat ze even naar Cassie en Banion is gegaan, maar hij treft haar aan in zijn eigen kamer, waar ze in haar eentje op een stoel met een rechte rug is gaan zitten. Ze heeft een zakdoek in haar hand, maar het huilen lijkt voorbij.

'Meneer, het spijt me heel erg.'

'Hoezo? Hij heeft toch niets gedaan.'

Ze antwoordt met een blik.

George vindt Marina's theorie over samenwerkende bendes nog altijd vergezocht. Maar het valt niet te ontkennen dat Zeke zelf als verdachte kan worden beschouwd. Zeke weet zowat alles van George, zowel door hun jarenlange contacten als advocaat en cliënt, als door wat hij van zijn moeder hoort. Wie zal zeggen of de rancune die altijd in Zeke woedt hem ertoe heeft gebracht te proberen George te intimideren? Een waanidee dat George Dineesha al twintig jaar misbruikt. Of de zoveelste manier waarop Zeke zich op haar kan wreken. Of een al heel lang sluimerende grief over de manier waarop George hem als advocaat heeft verdedigd. De rechter weet dat een van de vele cursussen waar Zeke na zijn eerste verblijf in Rudyard niets mee is opgeschoten een opleiding tot computerprogrammeur is geweest. Als Zeke de Fanaat is, heeft hij Khaleel waarschijnlijk hierheen gestuurd om iets mee te nemen of zich informatie toe te eigenen die Zeke in zijn eerstvolgende onaangename mail kan verwerken.

Maar zelfs als dat het geval is, valt er ook troost aan te ontlenen, want dan loopt George geen enkel gevaar. Zeke is een boef, een scharrelaar en een zwendelaar, een onverbeterlijke bedrieger die bovenal wil bewijzen dat hij iedereen erin kan laten trappen. De manier waarop hij in de gang Khaleel uit de handboeien heeft gepraat is een kolfje naar Zekes hand, een ogenblik waarover hij nog dagenlang genietend zal vertellen. Maar er staat niets in zijn lange strafblad over geweld, ondanks het gedrag van degenen met wie hij zich heeft omringd. Als Zeke de Fanaat is, dan zijn de bedreigingen bedoeld om uiteindelijk winst op te leveren, een vernuftige vorm van bedrog om aan geld te komen. Een losgeld om ermee op te houden. Een beloning voor informatie of voor verricht onderzoek. Iets dergelijks.

Het heeft geen zin tegen Dineesha te zeggen dat Zeke vandaag geen kwaad in de zin had of er niet van wordt verdacht de Fanaat te zijn. Ze gaat van het ergste uit en zit zichtbaar te lijden op haar stoel.

'Mijn eigen kind,' zegt ze ten slotte tegen George en staat op om weer naar haar bureau te gaan.

10

GEVONDEN VOORWERP

Niet lang nadat hij vrijdagochtend van huis is gegaan, concludeert rechter Mason dat hij wordt achtervolgd. Een auto, een vrij nieuwe wijnrode DeVille, verschijnt in zijn achteruitkijkspiegel nadat hij de eerste zijstraat is gepasseerd en blijft op enige afstand achter hem hangen tot hij Independence Boulevard bereikt, waarover hij elke ochtend de rivier de Kindle oversteekt naar de stad. Er rijden veel mensen om halfnegen van de westelijke oever naar het centrum, houdt hij zichzelf voor, en veel mensen rijden liever binnendoor om de file op de snelweg te omzeilen. Maar als hij nog eens goed naar de auto kijkt, baart die hem zorgen. Het is een 'gepimpte bak', zoals de politie het noemt, met versleten schokbrekers en een dansend kralengordijn voor de achterruit. De bumper is versierd met vlammende stickers en er is een crèmeleren schuifdak ingebouwd. Standaard voor gangsters. Hij is een beetje opgelucht als de Cadillac ten slotte verdwijnt. Nog geen vijf minuten later is hij terug, zo'n vijftig meter achter hem, telkens wisselend van rijbaan.

George drukt het geluid van de radio weg om zich te concentreren en gaat op de rechterrijbaan rijden, met zo'n dertig kilometer per uur. De Caddy mindert ook vaart. Een paar minuten later gaat hij rechtsaf Washburn in en passeert verscheidene zijstraten in een woonwijk met portiekhuizen. De DeVille is weg. Maar wanneer hij keert en terugrijdt naar Independence, zoeft de Cadillac uit een zijstraatje tevoorschijn en sluit weer aan, vier of vijf auto's achter hem.

Een paar honderd meter verderop zet de rechter zijn Lexus aan de kant en de Cadillac stopt dertig meter achter hem, waar een parkeerverbod geldt. Als George weer invoegt, doet de Cadillac dat ook. Drie zijstraten voor het gerechtsgebouw stopt hij voor rood licht, waardoor de Cadillac geen andere keus heeft dan zich naast hem op te stellen.

De bestuurder is een verzorgd geklede jongeman, blank of latino, met zwart stekeltjeshaar. Hij draagt een leren vest. Een gezette zwarte man in overjas met das zit als passagier naast hem. De jongeman lacht George vriendelijk toe en knipoogt.

Zijn hart bonkt even van angst voordat hij het begrijpt; dan maakt hij gauw het oketeken met gebogen duim en wijsvinger. Maar hij is razend. Hij kan niet wachten tot hij boven is, maar zet zijn auto nogmaals aan de kant om het mobieltje te gebruiken dat hij van zijn vrouw heeft geleend.

'We hadden een afspraak,' zegt hij tegen Marina, zodra

ze op haar privénummer reageert.

'Wat?'

'We hebben een afspraak gemaakt, Marina. Ik zou alleen in het gerechtsgebouw worden bewaakt. Ik heb net twee regiodienders achter me aan gehad in een Caddy die ze van een of andere dealer in beslag hebben genomen.'

Marina reageert ingehouden. 'U had het niet mogen merken.'

'Die auto? Die gebruiken ze om undercover drugs te kopen in het North End. Waar ik woon hadden ze net zo goed een vlag uit het raam kunnen steken. Verdomme, Marina, dat lijkt toch nergens op?'

'Meneer, ik probeer alleen passende maatregelen te nemen. Nadat die twee gisteren opeens op de gang waren verschenen, vond ik het een beetje link worden. Daarom heb ik een maat gebeld, Don Stanley, en hem gevraagd op de heen- en terugweg een oogje in het zeil te houden. Meer heb ik hem niet verteld, meneer. Alleen dat er iets was gebeurd waardoor ik mijn twijfels had.' Ze heeft kennelijk met Rusty gesproken, die haar heeft laten weten dat George het niet prettig vindt als ze haar mond voorbijpraat. Dat zou met name gelden voor de politie in Kindle County. Op het hoofdbureau, McGrath Hall, wordt meer geroddeld dan op een middelbare school. Als daar over de Fanaat wordt gepraat, weet de pers er binnen de kortste keren ook van.

'Marina, ik ben hier degene die risico loopt. Dus ik beslis wat er gebeurt. Als ze mijn lijk vinden, mag je een persconferentie houden en zeggen: "Ik heb hem nog zó gewaarschuwd."'

'Hè zeg.'

'Marina, in mijn straat wonen negen gezinnen die er al een jaar of twintig zitten. We hebben samen onze kinderen grootgebracht. We gaan samen op vakantie. We halen elkaars kranten en post op. Iedereen bemoeit zich met iedereen. Dus als die grapjassen in hun drugsmobiel 's ochtends en 's avonds achter me aan rijden, blijven ze echt niet onopgemerkt. Vandaag of morgen zegt een van de buren er iets over tegen Patrice.'

Hij doet zijn best zich te beheersen en voor ogen te houden dat Marina's instinctieve gevoel dat de Fanaat kan weten waar hij woont, juister is dan ze beseft. Maar het laatste wat hij in dit stadium zal doen, is haar vertellen over de mail. Hij heeft al weinig vat op haar. En na een nachtje slapen is hij er nog meer van overtuigd geraakt dat Zeke de schuldige is. Niettemin probeert hij haar geduldig duidelijk te maken hoe het zit.

'Marina, ik weet dat je Patrice niet zo goed kent. Dus mag ik het uitleggen? Ze is zo iemand die een dagje gaat rotsklimmen en dan thuis de deur op de grendel doet en de alarminstallatie inschakelt. Ze ontwerpt huizen. Ze vindt dat iedereen recht heeft op een veilige eigen plek. Zelfs in goede tijden zou ze zich dit erg aantrekken. En het zijn geen goede tijden.'

'Dat begrijp ik, meneer. Maar...' Ze maakt haar zin niet af.

'Wat?'

'Ik wil u niet voor de voeten lopen, meneer, maar misschien kunnen we het eens worden over een vorm van bescherming die mevrouw Mason niet zou verontrusten. Waardoor ze zich misschien zelfs geruster zou voelen. Omdat ik echt denk dat het voor iedereen beter is, ook voor u allebei, als ze weet wat er aan de hand is.'

Zijn poging zich te beheersen is vergeefs.

'Bedankt, dr. Phil,' zegt hij en hij verbreekt de verbinding.

In zijn kamer bespreekt de rechter halverwege de ochtend met John Banion zijn concept van een vonnis in een kort geding. Het betreft een conflict tussen een bioscoopconcern en een filmdistributeur over recettes en premièrebeleid.

'De passage over compensatie moet nog wat puntiger,' zegt George tegen zijn griffier. Banion, die voor het bureau van de rechter zit, knikt gehoorzaam. Het contrast qua karakter tussen Georges beide griffiers zou niet groter kunnen zijn. Als Cassie je vijf minuten kent, heeft ze je al alles verteld over haar gebit, de hoogte van haar telefoonrekening en haar oordeel over de kerels die achter haar aan zitten. John zegt heel weinig, met zijn licht geaffecteerde zachte stem, en blijft altijd op een afstand.

John Banion, die in Pennsylvania heeft gestudeerd, is tien jaar geleden teruggekomen om zijn bejaarde ouders te verzorgen en ten slotte te begraven. Hij is een uiterst kundige jurist; de eerste jaren was de rechter bang dat Banion ontslag zou nemen om meer geld te gaan verdienen als advocaat in een maatschap. Maar George heeft zelf gezien hoe wreed de wereld is geworden voor mensen zoals John, bekwaam maar onzeker in de omgang met mensen, en dus niet iemand die cliënten door zijn charme voor zich inneemt. Toen George begon, vormden zulke 'achterkameradvocaten' de grondvesten van elk groot advocatenkantoor. Tegenwoordig krijgen ze een kortlopend contract en maken lange uren tot ze worden vervangen door een jongere versie van zichzelf. John lijkt tevreden met zijn leven hier. Hij werkt van acht tot vijf, verdient genoeg, leest alles wat hij te pakken kan krijgen en maakt een paar keer per jaar in zijn eentje een trektocht door een ruig natuurgebied.

Eenzelvigheid kenmerkt John. Na de dood van zijn ouders heeft hij zich steeds meer teruggetrokken in zijn bestaan als alleenstaande en in toenemende mate excentrieke vrijgezel van middelbare leeftijd. Zijn gezicht is glad en onschuldig gebleven, maar zijn bruinige haar wordt steeds dunner en de afgelopen jaren is John zichtbaar molliger geworden. Van de medemens moet hij steeds minder hebben. Tussen de middag verdiept hij zich in de bedrijfskantine in een boek, meestal een zwaar filosofisch werk, of hij zit op zijn laptop te tikken, terwijl allerlei mensen die hij al jaren kent en bij wie hij rustig zou kunnen aanschuiven aan tafeltjes verderop zitten. Over een uitgaansleven zegt John nooit iets en algemeen wordt verondersteld dat hij homo is. George, die zichzelf op dat onderwerp niet als heel gevoelig beschouwt, twijfelt daar nog altijd aan. Er bestaan toch verstokte vrijgezellen die zich niet kunnen aanpassen aan intimiteit met een ander, en die steeds meer opgaan in hun eigen eigenaardigheden?

Maar zijn zonderlinge optreden maakt John in zekere zin tot een held voor zijn baas. De rechter heeft zich vaak voorgesteld dat hij, als hij in Banions hersenpan zou kunnen kijken, daar een kleurrijker wereld zou aantreffen dan in een Hollywood-epos van tweehonderd miljoen. Maar in het recht heeft John een brug gevonden met de buitenwereld. Hij functioneert in de hermetisch afgesloten vakzone van het hof van beroep als een gerespecteerd vakman. In Georges opvatting is John Banion zowat de beste griffier die er is. Precies. Nauwgezet. Begaafd. Niet opdringerig.

'John,' zegt de rechter, terwijl de griffier opstaat om de gegeven aanwijzingen te gaan verwerken, 'Cassie zei dat je het niet erg vindt als zij het voorwerk doet voor de zaak-Warnovits. Ik wil er zeker van zijn dat jij niet opzij wordt gezet.'

'Helemaal niet, meneer.' Banion kijkt naar het kleed en bromt: 'Als zij zich daarmee wil bezighouden, moet ze dat vooral doen. Ik heb schoon genoeg van die jongens.' Voor Johns doen is dit een ongekend openhartige uitlating. Gewoonlijk belichaamt hij de koele onpartijdigheid die de wet idealiter nastreeft. Na negen jaar samenwerken weet George nog altijd niet of John op de hand is van de aanklager of van de verdediging, van het grootkapitaal of de kleine man. Hij wijdt zich aan zijn werk met de schijnbare neutraliteit van een schoenmaker. Toch voelt de rechter even zijn geweten knagen als hij zich voorstelt wat Harry Oakey, Cassies vader en Georges vriend, ervan zou vinden als hij wist welke opdracht zijn dochter op haar eigen verzoek heeft gekregen, een opdracht die inhoudt dat ze ook de videoband zal moeten bestuderen. Niet echt wat Harry zich voorstelde toen hij zijn dochter naar George stuurde om haar horizon te verbreden.

De rechter vraagt Banion om Cassie de memo's te geven die hij heeft voorbereid voor de mondelinge behandeling en tegen haar te zeggen dat ze aan het werk kan.

'Nog steeds beide versies? Bekrachtigen en herzien?' John kijkt hem niet recht aan, alsof hij aarzelt de rechter te confronteren met zijn besluiteloosheid, maar George krijgt het gevoel dat hij zich nu in zijn eigen ambtsvertrek belachelijk maakt.

'Het is een moeilijke zaak, John. Juridisch. Ik ben er nog niet uit met het aspect van de verjaring. Maar wat ik ook doe, we krijgen een afwijkende mening. Koll wil dat de zaak wordt herzien omdat de video niet gebruikt had mogen worden en Purfoyle staat vierkant achter bekrachtiging. Ik moet de zaken nog op een rijtje zetten.'

John vertrekt, maar door het gesprek dwalen Georges gedachten weer af naar de zaak-Warnovits. Als hij zich ertoe kan zetten om erover na te denken, blijft de zaak onlosmakelijk verbonden met zijn herinneringen aan Lolly Viccino. Terwijl hij haar gezelschap hield in de bibliotheek, had hij beseft dat ze er ook zo beroerd uitzag omdat ze zich niet had kunnen wassen. Laat in de middag had hij voor de wasruimte op wacht gestaan zodat Lolly kon douchen. Daarbij had Grigson hem betrapt.

'Is ze er nou nog steeds?' vroeg Grigson.

George vertelde hem wat er was gebeurd.

'Tja, Mason, dat is heel vervelend voor haar, maar als haar eigen mensen haar het huis uit hebben gezet, wat moeten wij daar dan aan doen? Ze kan hier niet blijven.'

Daar had George alleen tegen ingebracht: 'Dat ga ik haar niet vertellen.'

'Dat hoeft toch ook niet,' zei Grigson. 'Ga jij maar een ommetje maken, George Mason. Ik los dit wel op. Ga maar.' De prefect maakte een wegwuivend gebaar. Uit zijn resolute optreden maakte George op dat Grigson had gehoord wat er de afgelopen avond was gebeurd. Frank Grigson verheugde zich erop iemand als Lolly Viccino te kunnen wegsturen.

En zo, denkt George nu, heb ik Lolly Viccino laten vallen. Hij was niet verder voor haar in de bres gesprongen en hij had haar evenmin naar een van de plaatselijke pensions gebracht, waar hij waarschijnlijk een rustig verblijf voor haar had kunnen regelen na een openhartig gesprek met Hugh Brierly over de 'huur' die Brierly had geïnd. In plaats daarvan had George gedaan wat jonge jongens in het nauw doen: hij had zich verstopt. Toen hij een uur later in de bibliotheek kwam, trof hij het enige aan dat van Lolly Viccino's verblijf restte: het vuile bord uit de mensa, vol sigarettenpeuken. George raakte er even een aan, ten prooi aan gevoelens die hij niet kon verklaren. En toch wist hij dat hij, zoals hij de afgelopen avond had gehoopt, een fundamentele overgang had ondergaan.

Een ogenblik snijdt Georges schuldgevoel hem als een dolk door het hart. Hoe is het mogelijk dat hij indertijd geen enkele poging heeft gedaan om te weten te komen wat er van haar is geworden? Of ze de dag veilig en wel is doorgekomen? Of wat de gebeurtenissen haar hebben gedaan?

Banion klopt aan en komt binnen uit de griffierskamer met een eerste versie van de drie nieuwe alinea's voor de bioscoopzaak.

'John, als ik iemand wil opsporen die ik veertig jaar geleden in Virginia heb gekend, hoe moet ik dat dan aanpakken?' Zijn griffier kan alles vinden op internet.

'Hoe is de naam, meneer?'

Zodra George de naam noemt, beseft hij dat het een onmogelijke taak is, zelfs voor John. Gezien het tijdsverloop is het waarschijnlijk dat ze inmiddels getrouwd is en, zoals gebruikelijk voor vrouwen van zijn leeftijd in Virginia, haar achternaam heeft laten vallen. En Lolly kan niet de voornaam zijn geweest op haar geboortebewijs. Verder heeft George geen flauw idee waar of wanneer ze is geboren. De rechter schudt langdurig zijn hoofd om aan te geven dat hij zich heeft bedacht.

'Het is iets persoonlijks, John. Daar hoef jij je tijd niet aan te verdoen. Misschien duik ik er zelf een keer in. Ik vroeg me alleen af hoe ik dat het beste kan aanpakken.'

Banion heeft een paar webadressen opgeschreven, maar door de stipulering dat het persoonlijk is, valt de deur dicht. John staat zichzelf nauwelijks toe zich in het leven van anderen te verdiepen en hij beseft dan ook amper hoe nieuwsgierig de mensen om hem heen naar hem zijn. Deze winter heeft hij een paar dagen verzuimd met een ernstige luchtweginfectie. Thuis werkte hij door en met grote tegenzin vroeg hij Dineesha hem bepaalde pleitnota's te brengen die hij daarbij nodig had. Zij is de enige collega met wie hij iets als een persoonlijke band heeft – met Kerstmis geven ze elkaar cadeautjes – maar zelfs zij was nog nooit bij hem thuis geweest. Toen ze terugkwam, waren de verwachtingen hooggespannen. Cassie; de griffiers van de andere rechters; Marcus, de bejaarde gerechtsbode, en de rechter zelf: iedereen verwachtte een beschrijving van wat Dineesha had aangetroffen. Ze was veel te netjes om hun nieuwsgierigheid te bevredigen, maar de volgende dag zei de rechter tegen haar, toen ze een pakje van een koeriersdienst kwam brengen: 'Mag ik vragen?'

Nadat Dineesha zachtjes de deur had dichtgedaan, had ze een kort maar levendig beeld geschetst. De gestucte bungalow, waarin Johns ouders hem hadden grootgebracht, vertoonde zichtbare scheuren in de buitenmuren en aan het dak ontbrak een shingle. Maar binnen was het pas echt bizar. Niet dat het smerig was, zei Dineesha, maar de stapels lagen zo hoog dat ze nauwelijks door de voordeur naar binnen kon. Het leek wel of hij een kringloopcentrum beheerde. In de afgelopen tien jaar had hij, leek het, geen krant of tijdschrift weggedaan. In de huiskamer lagen ze op stapels tot aan het plafond en bovendien bevond zich daar een fort van boeken, met muren van twee meter hoog, als in een bunker. De hardhouten vloer was verzakt onder het gewicht. Twee parkieten vlogen vrij door het huis en krijsten erop los.

George wordt in zijn gedachten gestoord door een zoemer die ergens overgaat. Hij reageert geschrokken op het onbekende geluid, tot hij beseft dat het Patrices mobieltje is dat bij het trillen een onderbroken gekreun voortbrengt. Hij diept het mobieltje op uit het jasje dat over zijn stoel hangt en bekijkt het grijze scherm. Een sms'je, zijn eerste ooit. Hij vindt het wel prettig dat hij met zijn tijd blijkt mee te gaan, tot hij het bericht leest.

'Fanaat,' mompelt hij voor zich heen, 'je begint op mijn zenuwen te werken.' Maar hij kan zichzelf niets wijsmaken. Het is de eerste keer dat hij zich bewust moet concentreren op het onderdrukken van zijn angst. Het komt niet zozeer door de worden – Je gaat R aan – dat hij bang wordt. Wat hem angst aanjaagt, is het nummer waar het bericht vandaan komt. Het is dat van hemzelf. De Fanaat heeft het weggeraakte mobieltje van de rechter.

11

BOOS

Marina, die enige uren heeft samengewerkt met het telefoonbedrijf, komt om drie uur binnen met een van haar assistenten, Nora Ortega, een magere, donkere, zwijgzame vrouw die Marina al een paar keer eerder heeft meegenomen om aantekeningen te maken. George staat op om Marina een hand te geven en zij gebruikt haar hele gedrongen lichaam om zijn hand te drukken.

'Had niet gemogen, die surveillancewagen zonder u in te lichten. Het spijt me.'

Hij verontschuldigt zich ook en gebruikt de term 'lastige oude man'. Ze nemen hun vertrouwde plaatsen in: George achter zijn bureau, Marina op de zwarte houten fauteuil ervoor.

'En wat zijn we te weten gekomen over de Fanaat?'

vraagt hij. 'Hebben we er wat aan?'

'We weten ongeveer waar hij was. Wat neerkomt op het centrum van de stad.'

Ze hebben steeds aangenomen dat Georges kwelgeest een stadgenoot is, en dit is het eerste bewijs. Maar de informatie is wel karig; hij had meer verwacht.

'Ik dacht dat ze een mobieltje heel exact konden lokaliseren.'

'Als het aanstaat, meneer. Niet als het uit staat. En het uwe staat natuurlijk uit. Waarschijnlijk is het toestel uitgezet zodra u uw sms'je had ontvangen.'

'Hoe weten ze dan dat hij in het centrum was?'

'Mijn zegsman wilde daar niet veel over kwijt. Ze hebben aan de ene kant de overheid die in hun nek hijgt en aan de andere kant de bond voor de burgerrechten. Hij hield zich nogal op de vlakte. Maar voor zover ik het begrijp is het zo dat een mobiel toestel over twee kanalen een signaal uitzendt; het telefoonbedrijf registreert wat er op het tweede kanaal gebeurt, de controledata, met inbegrip van de locatie van het mobieltje waarmee uw toestel contact opneemt. Wat ze ons kunnen vertellen, is alleen dat het bericht via de toren van de St. Margaret is doorgestuurd. Hij moet binnen drie kilometer van de kerk zijn geweest.'

'Dus hebben we het aantal verdachten teruggebracht tot zo'n tweehonderdduizend?'

'Precies.' Marina lacht. 'Morgenochtend hebben we die allemaal gehoord.'

Het is een opluchting voor George dat ze weer naar hem kan lachen. Intussen heeft ze het mobieltje van Patrice in haar hand, dat ze hem komt terugbrengen nadat ze alle beschikbare informatie bij het telefoonbedrijf heeft opgevraagd.

‘Wat ik me afvraag is hoe hij aan uw nummer is gekomen.’

‘Ik ben zo vriendelijk geweest hem dat zelf te geven,’ zegt George. ‘Ik was het mobieltje kwijt en wou het terug. Dus heb ik het opgebeld. Leek me zinnig. Toen ik de voicemail kreeg, heb ik een boodschap ingesproken. “Met rechter George Mason. Als u dit mobieltje hebt gevonden, bel me dan op dit nummer.” Ik heb het een paar keer geprobeerd.’

‘En hoe kan hij uw voicemail hebben afgeluisterd zonder uw wachtwoord?’

‘De hele code wordt in het toestel geprogrammeerd door één toets ingedrukt te houden. Daar is hij kennelijk achter gekomen.’

‘Kennelijk,’ zegt Marina.

‘Enig idee wie hij nog meer heeft gebeld? Heeft hij zich op een of andere manier kenbaar gemaakt?’

‘Nee, volgens het telefoonbedrijf is er de afgelopen twee weken niets vastgelegd.’

‘Wat bedoel je?’

‘Als hij de telefoon gebruikt, belt hij gratis onder uw contract. Voicemail ook. Van die dingen. Hij is slim,’ zegt ze. ‘Maar dat wisten we al.’

Vervolgens wil ze nogmaals doornemen hoe George heeft gemerkt dat hij zijn mobieltje kwijt was en welke stappen zijn mensen hebben ondernomen om het terug te vinden. Dan besluiten ze dat het handiger is om iedereen die heeft meegezocht in het gesprek te betrekken en George laat ze allemaal bij zich komen. Dineesha en Cassie gaan naast Nora op de grijze bank zitten. De lange Marcus met zijn witte bakkebaarden blijft bij de deur staan, met een tandenstoker in zijn mond. Abel, die niemand over het hoofd kan zien, komt als laatste binnen en gaat moeizaam op een lage rieten voetenbank zitten, naast John Banion.

George heeft zijn mobieltje gemist toen hij op de Rechtersdag van de Balie in Kindle County uit hotel Gresham kwam, nu vijftien dagen geleden; maar zijn laatste duidelijke herinnering aan het mobieltje is dat hij het de avond daarvoor nog in handen heeft gehad, voordat hij de deur van zijn ambtskamer in het gerechtsgebouw achter zich dichttrok. Banion heeft de afdeling gevonden voorwerpen van het hotel gebeld. Marcus heeft nagegaan of George zijn mobieltje niet de volgende ochtend bij de metaaldetectorpoortjes heeft laten liggen. Cassie heeft het restaurant gebeld waar George die avond heeft gedineerd en is naar buiten gegaan om zijn auto te doorzoeken. Dineesha heeft zijn ambtskamer in het gerechtsgebouw van boven tot onder doorzocht. De rechter zelf heeft thuis overal gezocht toen hij daar aankwam.

'Eigenlijk, Marina, dacht ik tot vandaag dat ik hier ergens een stapel papier zou optillen en het ding dan zou zien liggen.' In de afgelopen paar uur heeft George een nieuwe theorie ontwikkeld: Zeke kan het mobieltje hebben meegenomen. Hij vermoedt nu dat Zekes bezoek de vorige dag een poging is geweest iets achterover te drukken. Zoals George zich nu de gang van zaken voorstelt, moet die zwerver van een Khaleel de gang op en neer zijn gelopen tot hij zag dat iedereen net even zijn kamer uit was; daarop moet hij Zeke een seintje hebben gegeven, en die heeft toen gauw de telefoon weggesnaaid. Als Zeke op deze afdeling iemand tegen het lijf liep, kon hij zeggen dat hij even op bezoek was geweest. De rechter voelt er echter weinig voor om zijn theorie op Marina los te laten, zolang hij Dineesha niet vooraf heeft kunnen waarschuwen. Dat is geen gesprek waarop hij zich verheugt.

'Misschien kan ik helpen,' zegt Marina. 'Volgens de registratie van het telefoonbedrijf is het laatste in rekening gebrachte gesprek geweest op de dag dat u uw mobieltje kwijtraakte, om twaalf minuten over twaalf. Eén minuut.' Ze leest het nummer voor dat hij heeft gebeld: dat van Patrice, haar andere mobieltje.

'Ik heb haar zeker alleen gevraagd hoe het ging,' zegt de rechter. 'Eén minuut betekent waarschijnlijk dat ik háár voicemail heb gekregen.' Daarom is het hem ontschoten dat hij haar heeft gebeld.

'En waar was u toen?'

Dat weet hij niet meer. De afgelopen maanden heeft hij staande op allerlei gangen een ogenblikje gestolen om Patrice te laten weten dat hij aan haar denkt.

'Weet jij nog dat we naar het hotel gingen?' vraagt George aan Cassie. Hij heeft beide griffiers uitgenodigd voor de Rechtersdag, maar John heeft zoals elk jaar bedankt; al die mensen, dat is niets voor hem.

Cassie kijkt op haar mobieltje.

'We zouden om kwart voor twaalf met de andere rechters samenkomen in de lobby. Ik weet zeker dat we hier ruim op tijd zijn weggegaan.' De primus staat erop dat zijn mensen op tijd zijn. Alle rechters van het hof van beroep op drie na, achttien man, en hun griffiers zijn door Marina's mensen in busjes naar het hotel vervoerd. George en Cassie kunnen zich allebei herinneren dat ze in het voorste busje zijn gestapt.

'Dus u hebt vanuit het hotel gebeld, meneer?'

Dat meent hij zich nu te herinneren. Heeft hij voor het herentoilet gestaan? Cassie kan zich herinneren dat de rechter zich een paar minuten heeft teruggetrokken voordat ze de receptieruimte binnengingen. Maar een vage herinnering valt gemakkelijk te suggereren. Pas de volgende dag hebben Cassie en hij zich over een reconstructie gebogen. Kan de Fanaat om twaalf over twaalf het mobieltje in handen hebben gehad en de sneltoetsen hebben ingedrukt om na te gaan bij wie hij gehoor zou krijgen? Maar waarom maar één telefoontje? De rechter is er nu tamelijk zeker van dat hij de verbinding heeft verbroken zodra hij Patrices voicemailtekst kreeg.

'Naar beste weten,' zegt hij, een advocatenterm die in de rechtszaal voor de waarheid moet doorgaan.

'Dus hij heeft uw mobieltje hier gepikt,' zegt Marina.

'Dat spoort niet erg met je theorie over Corazón, toch?' zegt George. Nu Marina een dag eerder het stilzwijgen heeft verbroken, hoeft hij zich er ook niet meer aan te houden. Een seconde later beseft de rechter dat Zeke ook een veel minder waarschijnlijke verdachte is geworden als het mobieltje in het hotel is gestolen.

'Dat zie ik anders.'

'Och kom, Marina. Denk je dat een jongen met een laaghangende broek en een bajeskop zomaar kan binnenwandelen op een receptie van de Balie, waar tweehonderd rechters en zeshonderd advocaten rondlopen, om zijn hand in mijn binnenzak te steken?'

'Meneer, u weet toch hoe de bendes tegenwoordig te werk gaan. Politiemensen werken undercover en zij dus ook. Denkt u nou echt dat ze, als ze iedereen van het bedienend personeel en alle mensen van de bewakingsdienst en van de garderobe zouden natrekken, dat ze dan niemand vinden zonder connectie met de ALN? Een kwart van de PI'ers in de bajes wordt benaderd. Sterker nog, dit blijft onder ons, er zijn zelfs een paar van mijn mensen waar de Sectie Georganiseerde Misdaad zijn twijfels over heeft. Als Corazón uw mobieltje in handen wilde krijgen, kon hij echt wel iemand vinden om daarvoor te zorgen.'

Recherchewerk wordt niet empirisch aangepakt. Rechercheurs komen met een theorie en passen alle bewijzen daaraan aan. Vergeet het kwade bloed tussen zwarte bendes en die van latino's, of het feit dat het vrijwel onmogelijk is George in een groep van achthonderd mensen er als doelwit uit te pikken. Corazón blijft de man. Er zijn ogenblikken waarop het George moeite kost niet terug te vallen in de eeuwige tegenstelling tussen raadslieden en het politieapparaat en de manier waarop beide partijen de waarheid naar hun hand zetten. En hierbij raakt hij aan de kern van wat Marina en hemzelf verdeeld houdt: ze eist bijna van hem dat hij bang wordt.

'Mag ik het lomp uitdrukken?' vraagt de rechter aan haar.

Ze moet even slikken. 'Zeker.'

'Misschien moet je je afvragen, Marina, wat het je oplevert als je vasthoudt aan Corazón.'

'Wat het me oplevert?'

'Ik gebruik het woord expres. Hoeveel kun je bijschrijven op je noodbegroting voor de gemeente als je een naam als die van Corazón kunt laten vallen? Tien procent? Twintig procent?'

Marina zuigt haar wangen hol.

'Wacht even,' zegt ze dan en kijkt over haar schouder om Nora's reactie te zien. 'Meneer, ik geloof dat u bijna vergeet wie aan uw kant staat.'

Als George Mason die avond thuiskomt, treft hij Patrice slapend aan in hun kamer en hij sluipt weer naar beneden, naar de grote keuken die ze een paar jaar terug heeft ontworpen. Een rechthoekig ingebouwde armatuur van notenhout en glas verspreidt veel licht. In de bijpassende kastjes zijn rechthoeken van Duits bobbelig matglas in een roze tint verwerkt, allemaal elementen die moeten aansluiten op de open haard in de huiskamer die al in het huis zat toen ze het kochten. Het is een warme, vriendelijke ruimte, waarschijnlijk zijn favoriete vertrek in huis, maar vanavond wordt zijn stemming er niet beter door. Omdat hij alleen is, kan hij zich overgeven aan medelijden met zichzelf. Hij moet nog bijkomen van zijn tweede conflict met Marina. Hij is er trots op dat hij zelden uit zijn slof schiet, maar of het terecht was of niet, het was in elk geval niet verstandig om haar aan te vallen waar iedereen bij was. Het ergst was de uitdrukking op haar gezicht. George is oud en wijs genoeg om te weten dat iemand die in de voetsporen van haar vader is getreden extra gevoelig is voor de opinie van mannen op leeftijd. Ze is weggegaan met een gewonde blik in haar ogen die George diep heeft getroffen.

En tegen het einde van de werkdag heeft Cassie de rechter twee schema's voorgelegd over de zaak-Warnovits, in de hoop dat hij daar in het weekend naar wil kijken, en dan zijn keuze zal bepalen. Nu hij de pagina's op het natuurstenen keukeneiland heeft neergelegd om ze in te zien, wordt hij nog somberder. Beide voorstellen snijden natuurlijk hout. Er is geen analytische truc die hij tijdens zijn studie of nadien heeft geleerd waardoor hij de ene of de andere versie kan afschieten. Al anderhalve eeuw ligt de nadruk in de rechtenstudie op het bestuderen van vonnissen van rechters zoals George die appelzaken behandelen. In zijn tijd werden die beslissingen, zoals ook nu nog gebeurde, besproken in termen van de beleidsoverwegingen, de politieke standpunten en de jurisprudentiële overwegingen die eraan ten grondslag lagen. Na bijna tien jaar in dit vak beschouwt hij veel van wat hem indertijd is bijgebracht als romantisch of zelfs volstrekt onjuist.

In de meeste gevallen merk je, ongeacht je politieke of filosofische voorkeur, of je van het recht houdt of niet, dat je beslissing iets onontkoombaars heeft. Zelfs als je je een route naar een ander resultaat kunt voorstellen, vereist de loyaliteit aan het recht, en meer bepaaldelijk aan andere rechters, rechtschapen mannen en vrouwen die in dezelfde situatie hebben verkeerd als jij nu en die hun uiterste best hebben gedaan in soortgelijke zaken tot een goede beslissing te komen, dat je dezelfde paden bewandelt die zij hebben afgelegd. De discretionaire vrijheid waarover zijn hoogleraren hebben gesproken bestaat alleen in de marge, bij hoogstens drie of vier zaken per tien jaar.

Maar de zaak-Warnovits is er één van, waarbij noch de letter van de wet, noch eerdere beslissingen in een bepaalde richting wijzen. Hoe weerzinwekkend het misdrijf ook is geweest, tegen deze jongens is later vervolging ingesteld dan de wet normaal toestaat. De rechter die het proces in de rechtbank heeft voorgezeten, Farrell Kirk, geen Cardozo maar een redelijk vakkundige man, heeft het verjaringsaspect en de getuigenverklaringen eerlijk afgewogen, maar Sapperstein heeft ook gelijk als hij zegt dat Kirk daardoor de scherpe begrenzing heeft uitgewist die de wet stelt aan de periode waarin door de leeftijd van een slachtoffer de vervolgingstermijn kan worden opgerekt. Omdat de argumenten in feite even sterk zijn, is de waarheid dat het recht in dit geval zal zijn wat het volgens George Mason is. En op dit ogenblik weet hij geen andere oplossing dan kop of munt. Hij diept een kwartdollar op en legt hem naast de eerste versie op het aanrecht. Zelfs tegenover Patrice heeft hij nooit toegegeven dat hij in de afgelopen negeneneenhalf jaar twee zaken op deze manier heeft beslist, zij het dat het kleine civiele zaken waren waarbij de jurisprudentie alleen drijfzand bood.

Hij staart nog naar de munt als Patrice binnenkomt en met de handen over haar gezicht wrijft om de slaap te verjagen. Automatisch loopt ze naar hem toe om hem met een kus te begroeten, maar ze bedenkt zich. Tot zondagmorgen zal ze nog in geringe mate radioactief zijn.

'Tjonge,' zegt ze terwijl ze naar hem kijkt. 'Wat zei de barman toen de citroen binnenkwam?'

Hij lacht flauwtjes om de oude grap – waarom kijk je zo zuur? Patrice loopt naar de koelkast om een flesje water te pakken. Ze heeft haar rug nog naar hem toe als hij vraagt: 'Hoe zou je het vinden als ik me niet kandidaat stel voor een volgende termijn?'

'Wat?'

'Dat overweeg ik. Ik kan met minder hard werken het dubbele verdienen. Dan zouden we reizen kunnen maken.'

Ze heeft zich eindelijk helemaal naar hem omgedraaid.

'George, je houdt van dit werk. Je hebt altijd van dit werk gehouden. Hoe kun je dan nu aan zoiets denken? Wat is er veranderd?'

Hij tilt zijn handen op. Ze kijkt tamelijk streng naar hem. Als hij in zijn huwelijk al een klacht heeft, is het dat Patrice ijskoud kan worden. Haar vader, Hugo Levi, was een norse kerel, een advocaat die in de verpakkingsindustrie is gegaan. Hij had zijn eigen treurige voorgeschiedenis – zijn moeder was voor zijn vijfde gestorven – maar hij strafte zijn gezin vaak door zijn buien van kille afstandelijkheid waarin hij harteloze oordelen velde. George, die in het oude zuiden is opgegroeid, kent waarschijnlijk geen Bijbelse gedachte waartegen hij zich feller heeft verzet dan het denkbeeld dat de zonden van de vaderen worden verhaald op de generaties na hen. Hij veracht de suggestie dat een vrij mens zich maar in zijn lot te schikken heeft en, erger nog, het idee dat hij zich niet zou kunnen bevrijden van de effecten van wat hij verachtte. Maar hij heeft de leeftijd bereikt waarop hij de wijsheid van de Schrift inziet. Patrice heeft gehunkerd naar de omhelzing van die harde man en daarbij een deel van hem overgenomen. Ze heeft haar teleurstellingen nooit op een zachtmoedige manier kenbaar kunnen maken. En ze is nu kennelijk teleurgesteld.

'Luister, maatje.' Ze buigt zich over het aanrecht zodat ze naast hem staat, dichterbij dan ze in dagen is geweest. 'Ik wil iets tegen je zeggen. Ik heb geprobeerd het voor me te houden, maar je moet het horen: hou op met bang zijn. Ik kan het aan je zien, George. Je bent bang. En daar heb ik het verdomd moeilijk mee. Ik kijk naar je en ik denk: wat hebben de artsen hem verteld dat ze mij niet hebben verteld? Je maakt het veel moeilijker dan nodig is. Ik heb het er zelf al moeilijk genoeg mee. Krijg je elfde midlifecrisis maar in je eigen tijd. Het is nu mijn tijd.'

'Patrice...'

Zijn vrouw loopt de keuken uit, maar kijkt om en zegt nog één woord: 'Nee.'

12

DE BOODSCHAP

Maandagochtend is George net aan zijn bureau gaan zitten als Dineesha van de balie binnenkomt. Ze laat de deur op een kier staan en richt zich op formele toon tot de rechter.

'Meneer, rechter Koll hoopt dat u hem een ogenblikje wilt ontvangen. Hij is er al.'

'Gelul,' zegt George geluidloos. Negen uur en Nathan komt nu al het vonnis in de zaak-Warnovits halen. Hij kan niet wachten om te vernemen op welk doelwit hij zich bij zijn afwijkende mening moet richten.

'Nathan!' roept George op joviale toon en loopt zijn kamer uit.

Op de groene bank naast Birtz heeft Koll zich als een ruiende vogel in zichzelf teruggetrokken; zijn donkere gezicht is verwrongen tot een dreigende grimas. Hij is in hemdsmouwen en zijn witte overhemd ziet eruit alsof hij het al drie keer eerder in de was had moeten doen, zo gekreukt als een verfrommeld boterhamzakje.

'Ik moet je spreken,' zegt hij en gaat snel langs George diens kamer binnen. 'Moet je kijken!' Hij trekt iets uit zijn borstzak. 'Moet je dit nou zien, verdomme.'

Nathan heeft een envelop in zijn hand waaruit hij een enkel velletje trekt, dat onderaan een bruine vlek vertoont.

'Dit zat bij de ochtendpost.'

Na de eerste blik op het papier legt George het op zijn bureau om het niet verder aan te raken. Het is een uitdraai van een van de geretourneerde berichten die George heeft ontvangen: 'Je zult bloeden.' Dat is de verklaring voor de onregelmatig gevormde vlek, beseft George: het is bloed.

'Heb je Marina op de hoogte gesteld, Nathan?'

'Ik wilde eerst jou de gelegenheid geven voor een verklaring, George. Ik begrijp werkelijk niet waarom je zo'n bericht naar iemand zou willen versturen.'

George roept naar Dineesha dat ze de beveiliging moet bellen en dan legt hij Koll de situatie uit.

'O mijn god,' zegt hij een paar keer. 'Dat is om je dood te schrikken. Ik had wel gehoord dat er iets vervelends aan de hand was. Maar ik had geen idee dat het op dit niveau speelde.'

'Iets gehoord, Nathan?'

'Je weet hoe de griffiers kletsen. Iemand zei dat je vervelende e-mails had gekregen. Ik dacht dat ze spam bedoelden. Geen bedreigingen. Lieve god! Geen wonder dat je aarzelt of je je wel weer kandidaat wilt stellen.'

Onder andere omstandigheden zou George die laatste opmerking als tactisch hebben opgevat, bedoeld om hem uit te horen over zijn plannen, maar Koll ziet er totaal ontdaan uit. Hij heeft zich op een van de houten stoelen voor Georges bureau laten vallen en er parelt zweet naast zijn onverzorgde bakkebaard. Wat kan er voor iemand met paranoia erger zijn dan reële vijanden? Omdat het om Koll gaat, kan George als zijn concurrent een zweem van vreugde niet onderdrukken. Zelfs in zijn ergste ogenblikken is hij nooit zo bang geweest als Koll. Nooit.

'Volgens mij, Nathan, is het allemaal bluf.'

'Waarom denk je dat?'

Georges redenering dat er geen echte aanval zal komen na al die waarschuwingen kan Koll niet troosten.

'Je probeert een gek te doorgronden.' Nathan gaat telkens verzitten, te geagiteerd om een prettige houding te kunnen vinden. 'Maar waarom ben ik erbij gehaald? Dat wil ik weten.' Het is echt iets voor Nathan om te willen dat George de enige is die wordt belaagd. 'Komt het door onze verkrachtingszaak? Met al die publiciteit eromheen?'

Geen van beide rechters vindt dat bij nader inzien een goede verklaring. Ze weten zelf nog niet eens hoe het besluit in de zaak-Warnovits zal uitvallen, laat staan dat de fanatieke aanhang van de beide groepen het weet. En de eerste e-mail heeft George lang voor de mondelinge behandeling van de zaak ontvangen, de eerste gelegenheid waarbij hun rol in de zaak openbaar werd. De identiteit van de rechters bij te behandelen zaken wordt zo lang mogelijk geheimgehouden om te voorkomen dat advocaten hun pleidooien baseren op eerdere vonnissen van de zittende rechters, in plaats van op het ruimere gebied van precedenten.

'Ik dacht dat je voor Warnovits kwam, Nathan. Voor mijn concept van het vonnis. Ik heb er nog een paar dagen voor nodig. Eerlijk gezegd zoek ik nog naar een zuivere meerderheid. We kunnen de zaak niet de wereld in sturen met drie rechters die drie verschillende dingen zeggen. Ik heb overwogen jouw kant te kiezen en jouw opvatting over de ontoelaatbaarheid van de videoband het oordeel van het hof te maken.'

Praktisch bezien heeft dat oordeel veel voordelen, in het licht van het scenario dat Rusty hem eerder heeft voorgehouden. Enkele jongere verdachten – misschien allemaal, met uitzondering van Warnovits – zullen kiezen voor strafvermindering in ruil voor hun getuigenverklaring over de band. Dan komen ze eraf met een lichtere straf dan de zes jaar die minimaal voor het zedenmisdrijf moet worden opgelegd, een passende afloop naar Georges mening, gezien het verder voortreffelijke leven dat de mannen hebben geleid. De waarheid is dat de zaak door het verjaringsaspect ideale mogelijkheden biedt voor een compromis, dat al veel eerder bereikt had moeten zijn. Maar de rede heeft verloren, misschien door de onwrikbaarheid van de aanklagers, of het ego van de strafpleiters, of het onvermogen van de mannen of hun ouders om de onvermijdelijkheid van een gevangenisstraf te aanvaarden. Op de olympische hoogte van het hof van beroep valt nooit na te gaan waarom er geen akkoord is bereikt, omdat er geen verslag wordt opgesteld van de onderhandelingen. Maar het gevolg van de besluiteloosheid is duidelijk: er blijven alleen harde keuzes over.

Hoe verleidelijk het ook is om alsnog voor Salomo te spelen, het recht beperkt Georges keuzevrijheid. Hij kan de veroordeling of de opgelegde straffen niet als rechterlijke dwaling afdoen, al is de straf voor sommige jongemannen zwaarder dan hij zelf zou hebben opgelegd. Na ruim dertig jaar in het juridische systeem heeft George zich erbij neergelegd dat 'recht' niet meer is dan een benadering, een scala aan acceptabele resultaten.

De suggestie dat hij Kolls visie zou volgen heeft hij Rusty vooral voorgelegd om Rusty's wantrouwen jegens Nathan aan het licht te brengen. George is benieuwd of Koll echt staat te trappelen om zijn plaats in te nemen als mikpunt van de volkswoede die zeker zal ontbranden jegens de opsteller van het vonnis waarin de veroordelingen ongedaan worden gemaakt. En de primus, blijkt nu, kon wel eens gelijk hebben.

'Ja, ik heb ook over dat probleem nagedacht,' zegt Koll. 'Drie meningen. Er moeten concessies worden gedaan. Misschien kan ik instemmen met de verjaring, zodat je voor de meerderheid kunt spreken. Dan schrijf ik afzonderlijk over de videoband. Laat me je conceptversie maar lezen als je het af hebt. Ik zal de mijne mailen. Die is klaar.'

Natuurlijk kan George een glimlach niet onderdrukken. Welke ijdele hoop heeft hem doen denken dat Nathan zou afwachten tot hij had gezien wat George te zeggen had, voordat hij hem begon tegen te spreken? George hoort dat Dineesha in de receptie Murph begroet, Marina's rechterhand, en hij staat op.

'Overigens, Nathan: trek geen overhaaste conclusie uit het feit dat ik me nog niet heb gekandideerd voor verlenging.'

'O?'

'Ik wilde wachten tot duidelijker was geworden hoe het nu verder met Patrice zal gaan. Maar het gaat heel goed.'

'O.' Koll kan niet voorkomen dat zijn mond openzakt. Hij wilde al opstaan, maar ploft terug. Ondanks zijn bezorgdheid om de brief van de Fanaat is dit voor hem misschien wel het slechtste nieuws vandaag.

In het weekend heeft George de rust genomen waaraan

hij toe was. Op zaterdagochtend is hij wakker geworden met het besef dat Patrice en hij een afstand moeten overbruggen, en op zijn aandringen zijn ze naar hun huisje in Skageon gereden. De dokters zouden natuurlijk bezwaar maken, maar hij heeft zich zelf voldoende in het onderwerp verdiept om te weten dat het risico voor hem miniem is.

Het is een uitstekend idee gebleken. Schitterend weer, wandelen, samen koken, een fles Corton-Charlemagne en daarna eindelijk samen in bed. Het was net als dertig jaar geleden, toen bij iemand slapen heel bijzondere gevoelens opriep na een leven alleen in bed, waardoor de hele nacht een lange omhelzing is geworden. De hereniging, en de bevrediging van behoeften, heeft bijgedragen tot hun beider welzijn.

Maar aan elk uitstapje komt een einde en met Kolls bezoek is de onvrede teruggekeerd die al heel lang de zaak-Warnovits begeleidt. Hij blijft allereerst over zichzelf oordelen en dat proces is nog niet voltooid. Het idee om te proberen Lolly Viccino op te sporen, waarover hij het al even met Banion heeft gehad, blijft hem aanspreken, hoewel hij niet kan zeggen waarom. Welke troost denkt hij veertig jaar na dato te vinden? Hij kan moeilijk verwachten dat ze zal zeggen dat ze het allemaal wel best vond. Hij kan hoogstens hopen dat zij net als hijzelf het incident heeft toegeschreven aan de tijdelijke psychose die jeugd heet. Toch fantaseert hij nog even verder. Wat zou er van Lolly zijn geworden?

Net als de telefoon gebruikt George de computer in zijn ambtsvertrek normaal gesproken uitsluitend voor officiële dingen, niet voor persoonlijke mail of het reserveren van kaartjes. Maar het is nu wel duidelijk dat hij in de zaak-Warnovits pas tot een beslissing kan komen nadat hij heeft vastgesteld wat er veertig jaar geleden in Virginia is gebeurd.

'Lolly Viccino' levert geen resultaten op bij de zoekmachines die hij gebruikt. Lolly is een bijnaam, denkt hij, en hij kiest een officiëlere naam: 'Linda.'

Anderhalf uur later heeft hij drie mogelijkheden opgespoord. In Schotland werkt een Linda Viccino bij een opleiding voor veiligheidsinspecteurs. De informatie op de website van het regionale elektriciteitsbedrijf is nogal beperkt, maar het lijkt erop dat Linda Viccino andere ambtenaren leert hoe ze risico's kunnen opsporen in elektrische centrales. Hij denkt even over dit leven na; het lijkt hem een relatief gunstige bestemming voor Lolly. Ze heeft een studie gevolgd, ze doet verantwoordelijk werk. Ze heeft haar onaangename ouderlijk huis ver achter zich gelaten. Waarom is ze geëmigreerd? Uit liefde, hoopt George. Dat was meestal de reden voor zijn studievrienden om naar het buitenland te gaan: ze hadden iemand leren kennen en de liefde verkozen boven Amerika. Het zou prettig zijn als dat Lolly ook is overkomen.

De tweede Linda Viccino blijkt honderd dollar te hebben geschonken aan het Fonds ter bestrijding van kindermishandeling in Mississippi. Het is prettig om aan Lolly te denken als vrijgevige volwassene, maar het doel van de instelling is ietwat verontrustend. Misschien is ze zelf moeder, met een grote afschuw van kindermishandeling. Of misschien beschouwt ze zichzelf als eertijds mishandeld kind, dat door George en al die andere jongemannen in die benauwde kartonnen doos nog verder is mishandeld?

De derde Linda Viccino is de meest verontrustende. Haar naam komt voor in een begrafenisregister in Massachusetts, niet ver van Boston. 'Linda Viccino 1945-1970'. Deze vrouw kan een paar jaar te vroeg geboren zijn om Lolly te kunnen zijn, maar hij houdt rekening met de mogelijkheid. Waardoor sterft iemand op haar vijfentwintigste? Leukemie. Een ongeluk. Maar George beseft dat de kans groter is dat iemand op die leeftijd van verdriet sterft. Een overdosis. Zelfmoord. Roekeloos gedrag. In deze versie van Lolly was er geen ontsnapping mogelijk voor het meisje dat heeft gezegd: 'Ik heb toch zo'n rotleven. Je hebt geen idee wat een rotleven ik heb.'

Hij heeft het zoeken uiteindelijk opgegeven en is verdergegaan met andere werkzaamheden als Kolls afwijkende mening in Georges e-mail verschijnt. Het is Kolls gebruikelijke krachtpatserij: ideeën die hem niet welgevallig zijn, worden meedogenloos vertrapt. George amuseert zich met de tegenstelling tussen de juridische wereldveroveraar en de man die zich door de Fanaat laat intimideren. Maar het is niet nieuw dat Nathans paranoia een element van fysieke lafheid kent. De tweede of derde keer dat George met hem een zaak behandelde, heeft Nathan er het zwijgen toegedaan, kennelijk onder de indruk van de reputatie van de verdachte.

George probeert de bijzonderheden van de zaak uit zijn geheugen op te diepen en verstart zodra hij eruit is: Jaime Colon.

De verdachte die Nathan zoveel angst aanjoeg was Corazón.

13

DE HAND VAN CORAZÓN

De beveiligingsdienst van het gerechtsgebouw is ondergebracht in een kantoortje achter de grote hal, een doolhof van archiefkasten en schermen tussen de werkplekken. De lage verdiepingen van het oude gebouw hebben niet meegedeeld in de luxe renovatie van de ruimten voor het hof van beroep boven. De halfhoge eiken schrotenpanelen tegen de gestucte muren hebben de gele tint van tientallen jaren oude lak en de hoge dubbele schuiframen zijn rammelende antiquiteiten. Als hij naar Marina vraagt, wijst een van haar administratieve medewerkers, die allemaal door de gemeente zijn 'voorgedragen', boven zijn hoofd naar haar kamer, zonder van zijn computerscherm op te kijken.

Marina is aan de telefoon en de uitdrukking op haar

hoekige gezicht, zodra ze de rechter opmerkt, spreekt boekdelen. De kou is nog niet uit de lucht.

'Bel je terug,' zegt ze in de hoorn. Foto's van Marina's zussen met hun gezinnen, van haar ouders en van een vrouw, een assistent-sheriff met wie Marina afgelopen jaar op de kerstreceptie is verschenen, staan in bij elkaar passende gouden lijstjes op haar bureau. 'Meneer,' zegt ze op neutrale toon, terwijl ze de hoorn op het toestel legt.

'Nou,' zegt George zodra hij is gaan zitten op de stoel die ze hem heeft aangeboden, 'ik wou maar zeggen dat ik, toen ik hier vrijdag wegging, naar huis ben gegaan en ruzie met mijn vrouw heb gekregen. Maar,' voegt hij eraan toe, 'ik heb niet de hond een schop gegeven.'

Ze knikt.

'We hebben dan ook geen hond.'

Dat levert hem het gewenste lachje op. 'Het geeft veel spanning, meneer. Ik zou niet met u willen ruilen.'

'Ik wou alleen maar zeggen, Marina, dat ik dankbaar ben voor alles wat je hebt gedaan. Ik weet dat je mijn gerimpelde huid probeert te redden.'

Ze straalt als een kind, maar het duurt maar heel even. Ze wil zich niet laten ontwapenen.

'Meneer, ik moet openhartig zijn. Het grootste probleem met deze zaak is dat ik gedaan moet zien te krijgen dat u de situatie serieus neemt. Zelfs als ik geen gelijk heb, kunt u niet doen alsof het risico gelijk is aan nul. Moet u zich niet afvragen of u er niet te gemakkelijk over denkt?'

'Daar zit wat in,' geeft hij toe. 'En daarom ben ik hier. Ik heb net bedacht dat Nathan Koll erbij was toen we het beroep van Corazón behandelden.'

'Zeker,' zegt ze. 'Koll had het niet meer toen Murph die naam liet vallen. Als het aan hem ligt, gaan we zo gauw mogelijk naar de ebi om vergif door Corazóns eten te doen.' Marina probeert het niet te laten merken, maar ze moet zich af en toe een kleuterjuf voelen tussen die rechters met hun grillige eisen. 'Mag ik wat vragen? Die rechter Koll, die is toch zo intelligent?'

'Vraag dat maar aan hem.'

'Nou goed. Hoe is het dan mogelijk dat zo'n briljante man een dreigbrief honderd keer met beide handen vastpakt? De enige vingerafdrukken waar je wat mee kunt zijn die van hem, en er zaten er zoveel over elkaar heen dat we zelfs daarvan de meeste niet konden gebruiken. Ik weet ook wel dat de Fanaat waarschijnlijk rubberhandschoenen heeft gebruikt, maar *tjezis* zeg, zo kunnen we niet werken.'

'Hij leek me behoorlijk bang, Marina.'

'Dat zal best. Maar u had hem moeten horen piepen toen we zijn vingerafdrukken wilden hebben. Wat had hij dan verwacht?'

George kan zich goed voorstellen welke fobieën Nathan hebben gekweld op het ogenblik dat zijn vingers op een stempelkussen werden gelegd om afdrukken op een kaart te maken. Hij moet op tilt zijn geraakt.

'Het is trouwens runderbloed, op die brief,' zegt Marina. 'Corazón heeft blijkbaar zijn lesje geleerd wat DNA betreft.' Ze rolt naar achteren met haar stoel en legt een kort been, gehuld in de afgebiesde kaki broekspijp van haar uniform, op een openstaande bureaula. 'Ziet u nu meer in Corazón?'

'Jawel. Maar mag ik eerlijk zijn?'

'Vandaag voor het laatst,' zegt ze.

'Mijn wichelroede slaat nog altijd niet uit bij Corazón. Heb je Zeke nagetrokken, de zoon van Dineesha?'

'Gedaan wat we konden. De collega's van Kindle County zijn vrijdag een paar keer bij hem aan de deur geweest, in de hoop een goed gesprek met hem te kunnen voeren. Blijkt dat Zeke in St. Louis was. Hij heeft een nieuwe job, contracten voor mobieltjes slijten in warenhuizen. Zegt dat hij er zo goed in is dat hij anderen mag opleiden. Op vrijdag en zaterdag tot twaalf uur geeft hij cursussen van anderhalve dag.'

'Mobieltjes?'

'Ja,' zegt ze. 'Daar heb ik ook aan gedacht. Maar hij kon vliegtickets laten zien, een hotelrekening, zijn onkostennota en cursusboeken.'

'En de recherche geloofde hem?'

'Wat dat betrof wel. Zonder legitimatie met foto kom je geen vliegtuig in, meneer. Ik bedoel: hij was echt in St. Louis.'

Natuurlijk had Zeke iemand anders, bijvoorbeeld die Khaleel, kunnen gebruiken om George met de gestolen telefoon het sms'je te sturen, in het besef dat een dag waarop hij een ijzersterk alibi had ideaal was om wat uit te halen. Zo zullen de rechercheurs het hebben gezien en dat is dan ook wat Marina zegt.

'Al met al,' voegt ze eraan toe, 'denk ik niet dat het Zeke is. Maar de collega's die hem hebben gesproken, hadden toch wat vraagtekens. Ten eerste wist Zeke waar ze voor kwamen. Reageerde diep verontwaardigd op de suggestie dat hij u iets zou aandoen na alle hulp die hij van u heeft gekregen.'

Dat is verstandig. Maar Zeke kan uitstekend liegen, net zo goed als de besten die George op dat terrein heeft meegemaakt: tientallen cliënten en diverse advocaten.

'Moet ik vragen hoe hij wist dat de politie langs zou komen?'

'Dat denk ik niet.' Marina toont hem een strak lachje. 'En hij bleef volhouden dat zijn vriend nodig moest toen ze vroegen waarom die gast over de gang wandelde. Maar...' Ze haalt haar schouders op. 'Hij is niet degene die dat sms'je heeft gestuurd en hij heeft ook niet die brief naar Koll gemaild. Afgestempeld in Pueblecito, op zaterdagochtend.' Ze bedoelt de buurt in de Tri-Cities waar de meeste latino's wonen, in Kehwahnee, waar Corazóns set de dienst uitmaakt. 'Dat is wel wat veel voor Zeke om te organiseren van buiten de stad. Corazón, meneer. Dat is onze beste kans.'

George schudt even zijn hoofd; hij wil haar niet ergeren.

'Die brief verbaast me een beetje, Marina. Ik krijg al weken e-mails. Waarom wordt Koll er opeens bij gehaald? Zeker als er een rechte lijn naar Corazón wordt gesuggereerd.'

'Dat is echt iets voor Corazón. Waarom gaat die kerel er zelf op af om een vrouw en twee kindertjes af te tuigen, terwijl hij driehonderd gabbers heeft die dat voor hem kunnen doen? Omdat hij de grote Corazón is, schijt aan alles en voor niemand bang. Hij laat je zijn middelvinger zien, zegt: "Mij kan je niks maken," en valt lachend in slaap, omdat dat inderdaad zo is. Daar geniet hij van.'

George neemt het punt in overweging. 'Maar tot nu toe is de Fanaat een technisch bekwame lastpost gebleken. Heel geserreerd, heel geraffineerd. Een bloedvlek op een dreigbrief is meer iets voor een griezelfilm uit de jaren vijftig.'

'Effectief bij rechter Koll.'

'Dat was een e-mail ook geweest.'

'Dat weet ik niet, meneer. Corazón heeft twee dagen voordat die brief is verstuurd zijn moeder op bezoek gehad.'

'Onder toezicht. Toch?'

'Ja. Maar als ze verdomme over Tio Jorge in Durango beginnen te kleppen, weet je niet wie ze bedoelen. Dat kan best een code zijn voor van alles. Ik hoor graag hoe u dat ziet, meneer.'

'Misschien is het na-aperij. Misschien heeft iemand die iets tegen Nathan heeft een rotstreek met hem uitgehaald.'

Ze haalt nogmaals haar schouders op en doet haar best de suggestie serieus te nemen.

'Volgens mijn pa moet je misdaden oplossen volgens de szso-formule,' zegt ze. 'Kent u die?'

Jawel, hij heeft hem eerder gehoord, maar voor de vriendschap laat hij haar uitspreken.

'Simpele zaken simpel oplossen.'

Aan zijn bureau blijft George tot halfzeven doorwerken. Patrice is vandaag weer naar kantoor gegaan en verwacht laat thuis te komen omdat er stapels werk op haar liggen te wachten. Abel loopt te ijsberen bij de balie en steekt af en toe zijn hoofd om de deur. Deze dienst duurt aanzienlijk langer dan zijn gebruikelijke werktijd. George had gehoopt nog twee vonnisconcepten te kunnen redigeren, maar hij stopt ze in zijn tas. Daar moet hij vanavond thuis maar naar kijken.

'Oké, Abel,' roept hij. 'Zadel de paarden.'

Samen sjokken ze over de gang naar het rechtersvak in de garage, waarbij Abel zijn been om zijn artritisheup zwaait. Bij de toegang tot de garage ziet George dat de jongens die hij eerder heeft opgemerkt hier weer rondhangen. Door hun kapsel zijn ze te herkennen als bendeleden. De langste heeft een matje, opgeschoren boven zijn oren maar lang haar in de nek, een model dat van Amerikaanse indianen schijnt te zijn afgekeken. De ander heeft een kaalgeschoren hoofd, zoals in de gevangenis gebruikelijk is. Ondanks het warme weer dragen ze allebei opnieuw een sweatshirt met capuchon.

Abel staart het tweetal aan. 'Die bevallen me niet,' zegt hij. 'Wat willen die twee?'

'Een lift naar huis?'

'Ja,' zegt Abel, 'in een gejatte auto. Die zijn echt geen rozenkrans aan het bidden, meneer. Die moesten we maar even wegsturen.' Hij tast naar de portofoon aan zijn riem om de hondenbrigade op te roepen.

Dat is de verstandige aanpak. In een bepaalde stemming zou George zelf de beveiliging kunnen inschakelen. Gemiddeld doe je er niet verkeerd aan het ergste te denken van jongens die in dit gebouw rondhangen. In het gunstigste geval zijn het gangsterbaby's, aspiranten die zich willen aansluiten en die hier zijn om wapens of drugs te bewaren zodat echte leden ongehinderd door de detectiepoortjes naar de middagzitting voor dealers kunnen gaan.

Maar George heeft die waarschijnlijkheid nooit als de waarheid willen accepteren. De echte George Mason is de bron geweest van de uitdrukking die zijn makker Jefferson heeft gebruikt: 'Alle mensen zijn gelijk geschapen.' Een nobel sentiment, maar George Mason IV hield wel slaven, net als bijna alle voorvaderen van George in Virginia. Het is de meeste beschamende erfenis van alle beschamende erfenissen waarvoor George is gevlucht toen hij begin twintig was, en hij is hier gekomen met het vaste voornemen ruimhartiger te zijn. Zijn hele leven heeft hij zich ernstig ingespannen om mensen op hun eigen merites te beschouwen.

'Laat ze maar, Abel. Ze vallen niemand lastig.' Na zijn vrijdagavondruzie met Patrice voelt hij zich ook verplicht niet toe te geven aan de sluipende angst die de Fanaat oproept. Moedig voorwaarts. 'Ik heb ze hier vorige week ook al een paar keer gezien. Ze gaven geen overlast.'

Alsof Abel een afspraakje met George heeft gehad, brengt hij hem helemaal tot aan zijn auto. De rechter start en zet de airco aan, terwijl de veteraan terugloopt. George wil nog niet weg. Zoals gewoonlijk wil hij een paar ogenblikken tot zichzelf komen, in dit geval om na te denken over de drie levens voor Lolly Viccino waarover hij eerder aan zijn bureau heeft gefantaseerd. Hij zet de rugleuning schuin en doet zijn ogen dicht. Op dit ogenblik is het de tweede Lolly die hem bezighoudt, die geld heeft geschonken aan het Fonds ter bestrijding van kindermishandeling in Mississippi. Ze moet het goed hebben gedaan, iemand zijn geworden die zich betrokken voelt bij de gemeenschap en een toekomst voor ogen heeft. Hij stelt zich een dame uit Mississippi voor in een lange roze jurk, met hoed en handschoenen, maar dan moet hij lachen om dat idee. Zo kan Lolly niet zijn.

Terwijl George probeert zijn fantasie bij te stellen, schrikt hij van een harde tik naast zijn hoofd. Hij schiet overeind en ziet twee dingen: de zilverkleurige loop van een automatisch wapen tegen de ruit en de vijfpuntige ster van de Almighty Latin Nation aan de pols van de hand die het vuurwapen vasthoudt.

14

SLACHTOFFER

Aan de andere kant van het raam bedreigt het uiteinde van de loop, een diepzwart rondje, de rechter op geringe afstand van zijn gezicht. George merkt uiteindelijk op dat de jongen met zijn andere hand gebaart, maar hij heeft geen idee wat hij wil, en verwijtend ramt de jongen de loop opnieuw tegen het glas. Zo worden mensen neergeschoten, denkt George. Door een bevel niet op te volgen dat ze niet begrijpen. En dan herinnert hij zich Corazón en beseft dat hij hoe dan ook zal worden neergeschoten.

Die gedachte pompt de adrenaline in zijn lichaam tot ongekende hoogte op. In zijn hoofd heerst een chaos van botsende ideeën, elk daarvan zo dringend als een gil.

Hoewel George vele jaren in de periferie van de misdaad heeft doorgebracht, is tegen hemzelf nog nooit geweld gebruikt. Alles wat hij weet is uit de tweede hand, door het beschouwen van slachtoffers op de klinische afstand in de rechtszaal, waar hij heeft geprobeerd hun geloofwaardigheid te beoordelen en, in zijn jaren als advocaat, heeft geprobeerd twijfel aan hun verklaringen te zaaien. Op de zitting wordt het leed van de slachtoffers vaak afgezwakt; het is niet relevant voor het bewijs dat een misdrijf is gepleegd of wie het heeft gepleegd. Ze krijgen zelden de gelegenheid meer te zeggen dan: 'Ik was bang dat ik dood zou gaan.' En vreemd genoeg ziet George daar op dit ogenblik de wijsheid van in. Dit ogenblik laat zich niet vangen in taal, voorschriften of rede; die kenmerken zich alleen door afwezigheid, zoals het absolute nulpunt het volstrekte ontbreken van warmte is.

De vrije hand van de jongen maakt weer een draaibeweging. Pas nu beseft George dat de jongen wil dat hij zijn raampje opendoet, en hij drukt op de knop. Maar terwijl het glas in het portier zakt, komt een zachte kreet van protest bij hem op. Het is alsof hij een huid aflegt. Hij was al aan de genade van de jongen overgeleverd, maar nu hij ook afstand doet van zijn privacy, weet hij dat hij op deze manier ook zijn ziel zal uitleveren.

'Goed zo, *puto*,' zegt de jongen. 'Hier d'rmee, man.' Hij heeft een latinoaccent.

In zijn jaren als toevoegingsadvocaat heeft George talloze slachtoffers van een gewapende overval een kruisverhoor afgenomen. Dat de verdachte door hem of haar was herkend, trok je altijd op dezelfde manier in twijfel. Door de nadruk te leggen op wat voor de hand lag. 'En u keek dus naar het vuurwapen, mevrouw Jones? U kon uw ogen er toch niet van afhouden?' Dat is juist. Hij heeft het nog niet gewaagd hoger te kijken. Hij heeft alleen maar het pistool gezien – een klein zilverkleurig automatisch wapen, maar een zwaar kaliber, aan de diameter te oordelen, en een zwarte handgreep – en de hand die het wapen vasthoudt, met de blauwzwarte ster van de Latin Nation in de lichtbruine huid net onder het rafelige manchet van het sweatshirt.

Maar als de jongen spreekt, kijkt George als vanzelf op. Hij weet al dat het een van de twee jongens is die Abel wilde laten wegsturen. Dit is de langste, met het matje dat George altijd doet denken aan een geschaafde radijs. Het haar gaat nu schuil onder de capuchon, die strak om zijn gezicht is getrokken om herkenning tegen te gaan. Een slungel van hoogstens zeventien, met een donkere, pukkelige huid en nerveuze ogen. Een Mexicaan of een Midden-Amerikaan. Hij heeft de hoge jukbeenderen en haakneus van een indiaan. Verleden week, toen George de jongens van een afstand zag, beoordeelde hij het tweetal door hun onveranderde, afgedragen kleding als arm: echt arm, gevangen in hun armoede, jongens die zelden de mogelijkheid hadden uit de barrio te komen. Het zou een wonder zijn als deze jongen ooit langer dan een ogenblik met een Anglo in een net pak heeft gepraat.

In het besef dat hij grotendeels onbegrijpelijk is voor deze jongen, vraagt George zich af hoeveel kans hij maakt als hij met vol gas wegrijdt. Zal de jongen te verbaasd zijn om te schieten? Zodra het idee bij hem opkomt, reageert hij erop. Het tussenliggende denkproces moet door angst zijn uitgewasemd. Zodra Georges hand naar de versnellingspook glijdt, laat de jongen het wapen hard op zijn onderarm neerkomen. Het doet gemeen pijn, maar George is te verstandig om een kik te geven. Het is de jongen die zich laat horen.

'Kut, *puto*!' roept hij. 'Kut, man, dat pik ik niet. Hoe

kom je d'rbij? Kut!' roept de jongen, en van pure frustratie laat hij het wapen nogmaals neerkomen op de arm die de rechter beschermend voor zijn borst houdt. Deze keer slaakt George een kreet en even blijft hij met zijn ogen dicht op de stoel liggen om de pijn de baas te worden.

De jongen knipt met zijn vingers.

'Geef op, *puto*. Hier d'rmee, man.' Hij wil het autosleuteltje hebben. Georges rechterarm is te gevoelloos om er iets mee te kunnen doen. Hij wringt zich langs het stuur om met zijn linkerhand het sleuteltje te pakken.

'Geef nou, man,' herhaalt de jongen en gebaart weer met het pistool. Hij wil dat George uitstapt. Ze gaan hem niet hier doodschieten, beseft George. Ze willen hem ergens anders mee naartoe nemen, misschien omdat ze bang zijn dat het geluid van een schot de hondenbrigade zal alarmeren voordat ze kunnen ontsnappen.

De jongen zegt weer dat hij hem wil hebben. George blijft over zijn arm wrijven, alsof de pijn hem zozeer in beslag neemt dat hij niet kan luisteren. Hij overweegt wat hij kan zeggen: 'Ik ben rechter. Je weet niet half hoeveel ellende je op je hals haalt.' Maar daarmee maakt hij het misschien erger. Hij wil hem in geen geval aanmoedigen. Voor deze jongen is George doden vrijwel zeker zijn inwijding, zijn 'eerste bloed', zoals ze zeggen. Corazón kan het karwei naar iemand een paar niveaus lager hebben afgeschoven, zodat de moord op de rechter, een misdrijf waarop de doodstraf staat, hem nooit kan worden aangewreven. Een ogenblik denkt George aan Marina en Abel; hun vermoedens zijn bevestigd. Zij hebben het recht hem uit te lachen, al zal het niet van harte zijn. Maar George ontdekt tot zijn genoegen dat hij dat niet erg vindt. Hij wist dat hij een risico nam. Een principieel standpunt is nooit zonder risico.

Het ogenblik van lichte voldoening is afgelopen zodra de jongen met de loop van het pistool tegen de slaap van de rechter slaat om zijn aandacht terug te krijgen. George wijkt naar achteren en de jongen grijpt zijn schouder vast en drukt de loop tegen zijn hals. George voelt de slagader kloppen waartegen het koele staal drukt.

'Yo, *vato*,' zegt iemand anders.

George durft zijn hoofd niet te bewegen, maar kijkt zo ver mogelijk opzij naar de passagierskant van zijn auto. De tweede jongen die hij eerder heeft gezien staat bij het andere portier. Hij is bijna een kop kleiner dan de jongen die George met het pistool bedreigt, en jonger. Hij heeft zijn armen langs zijn lichaam, maar uit het scheefhangen van zijn sweatshirt leidt George af dat hij ook gewapend is. De tweede jongen wijst met zijn kin.

In de verste hoek van de garage is iemand over de andere trap binnengekomen. Zonder zich te verroeren vangt George een glimp op van donkere kleding. Hij had gehoopt op het kaki van Marina's bewakingsdienst, maar het is iemand zoals hijzelf, die in het gerechtsgebouw heeft overgewerkt, waarschijnlijk een assistent-aanklager of toegevoegde advocaat. De voetstappen zijn van een vrouw; haar hoge hakken tikken ritmisch op het beton. George luistert ernaar en concludeert moedeloos dat ze de andere kant op gaan.

Je moet gillen, houdt hij zichzelf voor. Hij heeft deze situatie in zijn carrière wel duizend keer doorgenomen, opkijkend van een proces-verbaal voor een koele inschatting van de keuzes waarvoor het slachtoffer was gesteld. Als ze hem willen doodschieten, maar liever niet hier, biedt gillen de beste kans. Dan wordt de jongen met het pistool dat tegen Georges keel drukt voor een keus gesteld. Vluchten. Of schieten. Als hij hard wegloopt, kan hij ontkomen.

Maar George beseft dat hij het geduld van de jongen al op de proef heeft gesteld. Hij heeft al een keer geprobeerd te vluchten. Respect, het credo van de straat, zal hier waarschijnlijk het belangrijkst zijn. En er is nog een probleem. De rechter weet niet of hij meer kan uitbrengen dan een schor gepiep.

George heeft altijd geweten dat je zo bang kunt zijn dat het pijn doet. Zijn rechteronderarm is beurs en zijn slaap doet zeer, maar hij heeft pijn in zijn hele lichaam. Onder zijn oksels zijn de spieren om een of andere reden verkrampt. En zijn overhemd is klam van het zweet.

De jongen heeft zich naast de Lexus op zijn hurken laten zakken, terwijl hij het pistool tegen de hals van de rechter blijft drukken. Een motor start een paar rijen verder en een auto rijdt weg. Terwijl de auto verdwijnt, voelt George een golf van wanhoop. Stom, beseft hij. Hij had moeten schreeuwen.

'Geef nou op, man,' zegt de jongen opnieuw.

George schudt zijn hoofd.

'Yo, *puto*. Kom met je reet van de bank, of ik trek je goddverdomme door het raam.' De jongen steekt zijn andere hand naar binnen en grijpt Georges das. Hij geeft er een harde ruk aan, zodat de wang van de rechter tegen de portierstijl smakt, maar hij wacht niet af of George zich heeft bedacht en wil meewerken. De jongen doet wat hij heeft beloofd, gebruikt de das alsof het een hondenriem is en sleurt George door de raamopening. Instinctief tast George naar de veiligheidsriem die naast het portier hangt, maar die geeft mee terwijl Georges hele bovenlichaam naar buiten wordt gesjord. Hijgend graait hij met beide handen naar zijn boord. Hij moet wel tien keer schor 'oké' zeggen voordat de jongen hem uiteindelijk loslaat.

De jongen doet een stap achteruit en kijkt hoe George

uitstapt. De tweede jongen komt nu ook haastig naar deze kant van de auto. George had gelijk: hij heeft ook een wapen.

George richt zich op en voelt zijn knieën knikken. Hij is bang dat hij zal omvallen, en hij spant zich tot het uiterste in om overeind te blijven, omdat hij aanvoelt dat hij anders het gevaar vergroot.

'Geld,' zegt de jongen. Hij wil ook Georges horloge hebben en zijn corpsring; dan moet George al zijn zakken omkeren en hem de inhoud geven. Daarna gebaren de beide jongens dat George weg moet bij de auto. Hij gaat een meter of drie achteruit, wrijvend over zijn arm. Hij heeft geen idee wat er zal gebeuren en vraagt zich af of ze hem hier toch nog gaan doodschieten, maar dat slaat nergens op. Als ze dat hadden willen doen, hadden ze het allang gedaan.

In plaats daarvan glijdt de eerste jongen achter het stuur en start. Hij knikt naar zijn metgezel, die inmiddels een zwart pistool, waarschijnlijk een .32, op de rechter gericht houdt.

God, alsjeblieft niet de kofferbak, denkt George dan. Ze zullen hem dwingen in te stappen. Hij wil niet in de kofferbak. En op dat ogenblik beseft hij dat hij geen stap meer zal verzetten. Ze kunnen hem hier wurgen of met hun pistolen bewerken, maar hij geeft niet meer toe. Hij zal gillen als het moet. Het einde, in welke vorm ook, moet op deze plaats komen.

Zijn ziel heeft zich rond die beslissing samengebald als hij de tweede jongen hoort weghollen. Hij duikt op de passagiersstoel en de rijdende jongen ramt de wagen in zijn achteruit. Te laat beseft George dat hij even de kans heeft gehad te vluchten. Nadat hij achteruit is gereden, kijkt de jongen door het open portierraam naar George, die een meter bij hem vandaan staat. De rechter is absoluut niet verbaasd als hij opnieuw het zilverkleurige pistool te zien krijgt.

Schieten en wegrijden, denkt hij. Dat is het plan. Doodschieten en wegwezen. Hij heeft het totaal verkeerd aangepakt. Totaal verkeerd.

'*Puto*,' zegt de jongen, 'vraag vanavond aan Jezus waarom je nog leeft. Ik had je moeten afknallen, man, met je stomme gedoe. Je moet eigenlijk mijn *cuete* kussen, man,' zegt hij en laat hem het pistool weer zien.

George heeft een seconde nodig om deze woorden tot zich te laten doordringen en nog meer tijd om de betekenis ten volle te begrijpen. Dan pas weet hij: ze gaan hem niet doodschieten. Ze hebben nooit de bedoeling gehad hem dood te schieten. Het is een gewapende roofoverval, geen aanslag. Het was om zijn auto en andere spullen te doen.

De jongen staart hem om een of andere reden nog altijd aan, alsof hij uitleg van George verwacht, of zelfs een bedankje. George wil ook wel iets tegen hem zeggen.

'Ik dacht dat je iemand anders was,' zegt hij tegen de jongen. Ze zijn allebei verbaasd: George dat hij iets heeft gezegd en de jongen door de mededeling. Zijn donkere, snelle ogen schieten verbluft heen en weer.

'Man,' zegt hij terug en geeft een dot gas. De Lexus, Georges particuliere toevluchtsoord, scheurt door de bocht en verdwijnt uit het gezicht.

Hij kijkt of hij ergens kan gaan zitten, maar het dichtstbijzijnde is een betonnen pilaar, waartegen hij steun zoekt om af te wachten tot het gevoel in zijn lichaam terug zal komen. Even doet hij niets anders dan ademhalen; elke ademtocht is een geweldige ervaring. Hij voelt zich krachteloos van opluchting. Zijn benen zijn van pap en langzaam laat hij zich zakken, tot hij met zijn rug tegen de pilaar zit, op de smerige vloer vol olievlekken. Hij probeert het hele incident te overdenken, maar er overheerst maar één overtuiging. Hij heeft zich vergist. Alles wat hij heeft gedacht was fout. Hij heeft altijd gemeend dat hij de criminaliteit begreep: de oorzaken, de voorbereiding en de nasleep. Maar nu blijkt dat hij in dertig jaar kennelijk niets heeft geleerd waar hij iets aan heeft. Of dat blijkt te kloppen. Hij heeft alles verkeerd ingeschat, alles; hij heeft zich onnodig verzet en daardoor het enige levensgevaarlijke risico uitgelokt dat hij in feite liep.

Langzaam lijkt zijn geest in zijn lichaam terug te keren uit de schuilplaats waar hij Georges overlijden heeft afgewacht. Al zijn fysieke bezit is weg. Hij heeft niet alleen zijn portefeuille afgestaan, maar ook zijn huissleutels, zelfs zijn leesbril en het losse geld uit zijn broekzak. Hij is zelfs Patrices mobieltje kwijt, maar kan zich niet herinneren of hij dat aan de jongen heeft gegeven of in zijn kamer boven heeft laten liggen.

Ik heb er nooit iets van begrepen, denkt hij. Ik heb het nooit ten volle tot me laten doordringen. Dat uiteindelijk, of van meet af aan, een mens alleen maar een vernederd organisme is dat wanhopig graag wil leven. Hij denkt na over de berichten die hij heeft ontvangen en de onverschrokkenheid die hij heeft geprobeerd op te brengen. Allemaal onzin. Op het belangrijkste ogenblik is er maar één ding dat ertoe doet: in leven blijven.

Dat had Patrice hem ook kunnen vertellen. Ze moet het zelf hebben ervaren toen de dokter onder haar strottenhoofd voelde en zei dat wat hij daar voelde hem niet beviel. Terwijl George Mason op de smerige vloer zit, denkt hij met spijt en bewondering aan zijn vrouw.

15

OVERLEVEN

Het gerechtsgebouw weer binnengaan lijkt een eeuwigheid te moeten duren. Zeker vijf minuten bonst hij met zijn goede hand op de glazen voordeur en als de nachtwaker, weer zo'n inefficiënt lid van Marina's kaki stam, eindelijk naar het raam sloft, schudt hij zijn hoofd als een hoedenplankhondje.

'Rechtbank is gesloten,' mompelt hij tegen het glas en draait zich weer om. Hij ziet George waarschijnlijk aan voor een advocaat die de termijn heeft gemist voor het aanvragen van beroep en nu zijn verzoekschrift in de brievenbus van de griffie wil deponeren.

'Ik ben rechter!' schreeuwt George. 'Ik ben beroofd.' Uiteindelijk wordt hij herkend door Joanna Dozier, een assistent-aanklager die heeft overgewerkt, en dan wordt eindelijk de politie ingeschakeld.

In afwachting van de recherche gaat George naar zijn kamer. Hij haalt een la met ijsblokjes uit het koelkastje in de hoek en legt ijs op zijn hemdsmouw. De pijn is zo heftig dat hij vermoedt dat hij meer heeft dan een kneuzing.

Patrices mobieltje ligt op zijn bureau. Sinds Marina het hem vrijdag heeft teruggegeven, heeft hij het ding al een paar keer laten liggen, waarschijnlijk omdat hij onbewust niet wil dat de Fanaat hem nog een keer de stuipen op het lijf jaagt. Maar nu gebruikt hij het om een slotenmaker te bellen met een vierentwintiguursservice. Al in de garage, terwijl George probeerde op adem te komen, is hij door een andere angst overvallen: hij heeft zijn huissleutels afgestaan, terwijl zijn adres vermeld staat in het rijbewijs in zijn portefeuille. Toen de man in kaki de politie belde, heeft George meteen gevraagd een surveillancewagen naar zijn huis te sturen.

Nu belt hij Patrice om te zeggen dat ze de slotenmaker kan verwachten.

'Ik ben beroofd van mijn auto en mijn sleutels.'

'O mijn god, George. Hoe is het met je?'

'Best, hoor. Het was mijn eigen schuld. Ze hebben wel tien keer tegen me gezegd dat ik de parkeergarage zo snel mogelijk uit moet rijden. Ik had die jongens al eerder gezien en ik wou stoer doen...' Hij zwijgt omdat hij beseft dat hij op het punt staat eruit te flappen wat hij wil verzwijgen. Hij vraagt Patrice in de huiskamer uit het raam te kijken. De surveillancewagen staat voor de deur.

'Maar hoe is het nu met je?' vraagt ze weer, als ze naar het toestel terug is gelopen.

'Prima, hoor. Geschrokken, natuurlijk. Ik heb wat gestoeid. Ik moet een foto van mijn arm laten maken. Ik wacht nu op de politie.'

'Een foto? Ik kom eraan,' zegt ze.

Het laatste waar ze nu behoefte aan heeft is weer wachten in een ziekenhuis. En ze is vandaag weer aan het werk gegaan, dus ze is ongetwijfeld moe. Maar de slotenmaker is de beste reden waarom ze thuis moet blijven, en daar legt ze zich uiteindelijk bij neer.

'Met de politie en de eerste hulp ben ik wel een paar uur zoet,' zegt hij. Hij belooft dat hij haar wakker zal maken zodra hij thuis is.

Zodra George heeft opgehangen, steekt Abel zijn hoofd om de deur.

'Godsamme, meneer.' Hij is thuis opgepiept en is overhaast aan komen zetten in een groene bermuda waaruit dunne roze beentjes steken. Het is een wonder van de natuur dat hij daarop kan lopen.

'Allemaal mijn eigen schuld, Abel. Ik had naar je moeten luisteren.'

Abel staat erop de arm van de rechter te bekijken. George heeft er zelf eigenlijk nog niet naar gekeken, en hij weet dat het mis is als blijkt dat zijn arm zo is opgezet dat hij niet normaal de mouw kan oprollen. In plaats daarvan moet hij zijn overhemd losknopen. Tussen zijn pols en elleboog is een schrikbarende roodblauwe zwelling ontstaan. Abel fluit als hij het ziet.

'Ik rijd u wel naar het ziekenhuis, meneer. De jongens van het tweede district kunnen daar net zo goed procesverbaal opmaken.'

Op de eerste hulp in het Masonic wacht George achter een gordijn ruim een uur voordat hij naar de röntgen kan. De rechter heeft uit voorzorg zijn werk meegenomen, maar zijn rechterarm doet pijn als hij probeert te schrijven; hij kan alleen krabbels in de kantlijn zetten en hopen dat hij ze nog terug zal kunnen lezen.

'Haarscheurtje,' zegt de eerstehulparts luchtig als hij eindelijk met de foto's komt aanlopen. Hij knoopt George een blauwe mitella om en geeft hem Vicodin voor 's nachts. Verder moet George zich maar zien te redden met ibuprofen. 'Over drie dagen moet u naar de orthopeed,' zegt de arts en laat het gordijn dichtvallen.

In de wachtkamer heeft Abel zichzelf in een houten leunstoel gewrongen. Hij is in gesprek met een man die hij voorstelt als een rechercheur van het tweede district. Hij heet Phil Cobberly, een zwaargebouwde man met bruine krullen en alcoholblossen. George geeft hem zijn linkerhand.

'Weet u, meneer, we hebben elkaar al eens ontmoet, u en ik,' zegt Cobberly. 'Ik moest getuigen in de zaak-Domingo, jaren terug. Weet u nog? Die bedrijfsleider van een meubelgigant die met de inventaris knoeide en de spullen liet verdwijnen door de achterdeur? Die kerel verdiende anderhalve rug en bedonderde de boel toch nog. Ik dacht dat we dat type in de sneltrein naar de bak hadden. Zes dienders in de surveillance.'

Het schiet George weer te binnen. Cobberly heeft getuigd op de pro-formazitting en daarbij, zich baserend op het gezamenlijke rapport dat de agenten hebben ingediend, de positie van alle leden van het rechercheteam toegelicht die de criminele handelingen hebben geobserveerd. Maar George heeft op het hoofdbureau de gegevens opgevraagd en daaruit is gebleken dat twee van de agenten op de avond in kwestie helemaal geen dienst hadden. Het was slordigheid, geen meineed, maar met het bewijs in handen dat de politie onder ede heeft willen verklaren dat er meer mensen bij zijn geweest dan in feite het geval is geweest, heeft de toegevoegde advocaat om een sepot gevraagd, tot misnoegen van de dienders.

'Maar dat schorem dat u te grazen heeft genomen,' zegt Cobberly, 'die zullen toch niet zo'n advocaat krijgen? Uw cliënten konden betalen. Deze gasten gaan gewoon de bak in.' Cobberly lacht de rechter toe en krabt over zijn gezicht. Voor hem is het goddelijke gerechtigheid dat iemand die goed geld heeft verdiend met het vrij krijgen van boeven, nu zelf slachtoffer van een misdrijf is geworden. George heeft al een hele tijd geleden opgegeven om dit soort politiemensen uit te leggen hoe het systeem werkt.

Abel komt tussenbeide. 'De rechter zal wel moe zijn, Phil.'

Cobberly heeft zijn hart kunnen luchten en stelt monter zijn proces-verbaal op.

'Nog versieringen?' vraagt hij.

George zegt dat hij alleen de vijfpuntige ster van de Almighty Latin Nation bij de rechterpols van de jongen heeft gezien.

'Als hij bij de Latinos Reyes wil komen,' zegt Cobberly, de set waarvan Corazón nog altijd de leiding zou hebben, 'moet hij ook een kroontje boven die ster hebben gehad, ongeveer net zo groot.'

'Misschien zou hij dat hiermee verdienen,' zegt Abel. 'Zo'n jonge jongen nog. Bloed vergieten om erbij te komen,' voegt hij eraan toe. George heeft hetzelfde gedacht toen hij veronderstelde dat ze hem zouden doodschieten, maar gezien de afloop lijkt Abels interpretatie hem vergezocht. Gewoonlijk moet er geweld worden gepleegd door iemand die bij een bende wil komen – schieten, steken, rivalen aftuigen. Niet een Lexus stelen.

Cobberly en Abel zijn geen van beiden echt overtuigd en Marina evenmin; zij komt haastig aanlopen als George en Abel net weg willen gaan. Ze heeft ook een short aan en een overhemdblouse, allebei van een designermerk. In haar vrijetijdskleding ziet ze er heel modieus uit. Ze was op weg naar een conferentie in een andere stad toen ze werd opgepiept. George is inmiddels doodmoe en het ziekenhuis meer dan zat – het leed op wielen, het geroezemoes en de felle verlichting – maar omdat Marina in twee uur honderdvijfenzeventig kilometer heeft afgelegd om terug te komen, is hij verplicht het hele verhaal van het incident nog eens over te doen, en ze gaan samen in de wachtkamer van de eerste hulp zitten.

'Ik geloof niet dat het toeval is, meneer. Kijkt u maar naar het patroon: Corazón zet telkens een tandje bij. U zegt dus dat die jongens daar al bijna een week rondhangen? Alsof ze wachtten op een geschikte gelegenheid?'

'Volgens mij wachtten ze op iemand met een autosleuteltje. Ik ben gewoon de gelukkige geworden omdat ik altijd zo stom ben nog een tijdje in mijn auto te blijven suffen. Als het Corazóns bedoeling was dat ik werd omgelegd, was daar alle gelegenheid toe.'

'Hij heeft zijn eigen tijdschema, meneer. Hij heeft die jongens erop uitgestuurd om te doen wat ze ook hebben gedaan: uw auto jatten en ons allemaal de doodschrik aanjagen.'

George begrijpt haar theorie wel. Corazón wil dat iedereen – de politie, de aanklagers en vooral de rechter – weet dat de aanslag ophanden is. Wanneer het gebeurt zal iedereen die de hand heeft gehad in de veroordeling van Corazón in angst leven omdat de Inca van Los Latinos Reyes zich straffeloos wreekt, en met een glimlach, aangezien de overheid zelf Corazón een alibi zal verschaffen; die heeft immers spijkerharde garanties gegeven betreffende de totale afzondering van gedetineerden in de ebi.

Het zal wel een afweermechanisme zijn, maar George

vindt nog altijd dat de politie de zaak opblaast. De Latinos Reyes zijn een straatbende, geen Mossad, en Corazóns kenmerk is grof geweld, niet geduldige berekening. Maar daarover wil George niet nog eens met Marina in de clinch.

Als hij opstaat om weg te gaan, zegt ze: 'Voortaan is het vierentwintiguurssurveillance, meneer. Buiten het gerechtsgebouw gaat de politie met u mee en in het gerechtsgebouw nemen mijn mensen het over. Geen protesten.'

Hij denkt erover na. Voorlopig kan hij dit incident gebruiken om Patrice uit te leggen wat er aan de hand is.

Zijn vrouw zit aan het met natuursteen afgedekte keukeneiland als George binnenkomt, en hij ziet meteen aan haar dat er iets mis is. Ze heeft de fles Chivas opgediept die ze voor gasten in huis hebben en ze heeft zichzelf een flinke borrel ingeschonken. Twintig jaar terug heeft George besloten dat hij grenzen moest stellen en hij en Patrice drinken thuis gewoonlijk niet. Maar het is de genadeloze blik die ze op hem richt als hij binnenkomt die hem het ergst treft.

'Met de dood bedreigd?' vraagt ze. 'Al weken? Je wordt al weken bedreigd en je hebt niets tegen me gezegd?'

Het is op het tv-nieuws geweest. 'Een rechter die wekenlang per e-mail is bedreigd, is vanavond overvallen in de garage van het gerechtsgebouw, maar zou slechts licht gewond zijn geraakt.' De telefoon is onophoudelijk gegaan: bezorgde vrienden en diverse verslaggevers die op een of andere manier aan zijn nummer zijn gekomen en hem om commentaar willen vragen.

George voelt zich betrapt en vraagt: 'Hoe is het op tv gekomen?' Maar inmiddels is de politie volledig op de hoogte en in McGrath Hall, het hoofdbureau, blijft niets geheim. Misschien heeft Marina ook op de achtergrond informatie verstrekt, omdat ze heel goed weet welke uitwerking zulke berichtgeving op het gemeentebestuur kan hebben.

'Moet ik dit echt uitleggen?' vraagt hij aan Patrice.

'Ja, dit moet je écht uitleggen.'

'Ik vond dat er hier in huis al genoeg met de dood werd gedreigd.'

'O George.' Ze pakt zijn goede hand en legt haar andere arm om hem heen. 'Geen wonder dat je zo narrig was.' Een huwelijk maakt allerlei stadia van intimiteit door. Het eerste stadium, waarin je ervan overtuigd bent dat de buitenste lagen zullen wegsmelten, waardoor je één geheel zult worden, is het meest verheven, meest geprezen en meest dramatische stadium. Maar als goede advocaat kan George voor nog andere pleiten: de beginstadia van het ouderschap, wanneer je probeert erachter te komen hoe je de sluwste loer kunt overleven die de natuur je kan draaien: de liefde gebruiken om je iets te laten voortbrengen dat tussen jullie in komt te staan. Of dit stadium. In voor- en tegenspoed.

'Zei je daarom dat je je misschien geen kandidaat wilde stellen?' vraagt ze.

'Niet echt. Dat is niet het belangrijkste.'

'Aha, en wat is dan wel het belangrijkste? En zeg alsjeblieft niet dat ik dat ben.'

Hij vertelt haar over Warnovits en Lolly Viccino. Ze hoort het hele verhaal aan zonder zijn hand los te laten.

'Je hebt een beroerde tijd achter de rug, hè maatje?' Ze drukt hem weer even tegen zich aan. 'George,' zegt ze. 'Je bent een goede man. Echt een goede man. Het was een andere tijd. Zulke dingen... Het was vulgair, George. Bepaald grof. Maar het was niet misdadig. In die tijd niet. De tijden veranderen. Dingen worden beter. De mensheid zet stappen vooruit. En zelf doe je dat ook. Met de hulp van andere mensen. Daar gaat het om in het recht. Dat hoef ik jou niet te vertellen. Dat vertel je me zelf al veertig jaar.'

'En je gelooft er geen woord van,' zegt hij met een lachje.

Ze antwoordt niet meteen.

'Tja,' zegt ze. 'In elk geval heb ik geluisterd.'

Ze zitten nog altijd bij elkaar en praten over het effect van angst, over wat dat afdoet aan het leven en vreemd genoeg eraan toevoegt, als hij zijn mobieltje in zijn binnenzak hoort zoemen; zijn jasje hangt over de leuning van zijn stoel. Hij houdt zichzelf voor dat hij beter niet kan kijken, maar Patrice staat al op om het toestel voor hem te pakken en hij pakt het liever zelf dan haar het sms'je te laten zien.

Op het scherm staat: 'Binnenkort is T raak.'

16

DE OPENBAARHEID

Als George om halfzeven wakker wordt, hoort hij stemmen buiten en hij tilt een lamel van de zonwering in de slaapkamer op. Achter de surveillancewagen, die de hele nacht langs de stoep is blijven staan, staan drie tv-reportagewagens geparkeerd. Hun lange antennes, die op keukengardes lijken, zijn uitgeschoven voor uitzending. In afwachting van Georges verschijning hangen de opnameploegen van de concurrerende zenders bij een van de wagens, drinken koffie en kletsen met de twee agenten die buiten over de rechter waken.

'Maatje,' zegt hij tegen Patrice, 'dit gaat je niet bevallen.'

Marina arriveert een uur later in een busje van het gerechtsgebouw. Er zijn nog eens drie surveillancewagens bij gekomen. George belt Marina op haar mobieltje en vraagt haar binnen te komen, aangezien hij liever niet zelf naar buiten wil gaan om de cameraploegen te belonen voor het wachten.

'Shit,' zegt ze kernachtig als hij haar het sms'je laat zien. 'Dit toestel moet naar de FBI. Kijken of ze er iets mee kunnen. Niet te geloven dat hij het gore lef heeft om het nog een keer te doen.'

De Fanaat weet kennelijk wat Marina onlangs heeft uitgelegd over de problemen met het natrekken van sms'jes. Daarom kon het hem niet schelen wie het bericht zou ontvangen: de politie of George. Het bericht zou hem toch wel bereiken.

'Misschien kunt u beter binnen blijven, meneer.'

'Mijn zegen heb je als je wilt proberen hem dat in te laten zien,' zegt Patrice.

Maar George weet dat het risico gering is. Vandaag worden alle plaatselijke middelen ingezet om hem te beschermen. Vandaag wordt hij beter beveiligd dan de president. Bovendien is het onjuist om de indruk te wekken dat hij thuis wegkruipt. Hij heeft zijn ambt aanvaard in het besef dat de verantwoordelijkheid vaak van symbolische aard is.

Patrice blijft tussen de gordijnen naar buiten kijken naar de toenemende aanloop. Er zijn minstens tien of twaalf journalisten, acht agenten en natuurlijk een aanzienlijk contingent buren. Patrice houdt haar hart vast voor alles wat ze dit voorjaar met veel liefde en moeite heeft aangeplant, energie die ze zo kort na haar operatie eigenlijk nog niet had.

Om halfnegen doet George zijn voordeur open met het gevoel dat hij een decor binnenstapt. Zijn arm doet nog zoveel pijn dat hij er niet over denkt de mitella af te doen, en zijn jas hangt over zijn rechterschouder, zoals bij iemand in een cowboyfilm met een schotwond. Recht voor zich uit kijkend probeert hij er vriendelijk, maar zakelijk uit te zien en hij zegt geen woord terug als er een golf cameralieden en verslaggevers op hem afkomt.

Gewichtiger dan een generaal marcheert Marina een stap voor hem uit terwijl Abel uitstapt om de deur van het busje open te schuiven. Uit naam van George leest Marina een eenregelige verklaring voor die George en zij binnen hebben opgesteld: 'De rechter voelt zich goed en verheugt zich op zijn werkzaamheden in het gerechtsgebouw', terwijl cameralieden elkaar verdringen om hun reusachtige zwarte lenzen door het open raam van het portier van het busje te steken. George kijkt om naar het vertrapte randje witte *Alyssum* langs het pad.

De wagens rijden in colonne weg, een surveillancewagen voor Marina's busje en een erachter, terwijl de tv-wagens vooruitschieten en zich weer laten terugzakken voor de beste camerahoeken. Hij bedenkt hoe dit er op de tv uit zal zien en moet lachen.

'Wat?' vraagt Marina.

'Binnenpretje.' Na zijn steroptreden als held uit de stadsoorlog beseft George dat hij nu niet alleen de verdachten in de zaak-Warnovits op vrije voeten kan stellen, maar ook de staat een schadevergoeding kan opleggen, en toch nog herkozen worden.

De hele ochtend is het een komen en gaan van bezoekers met sympathiebetuigingen en een continue stroom telefoontjes van vrienden en verslaggevers, die George niet aanneemt. De enige mensen die hij niet kan afschepen zijn de collega's bij het gerechtshof. De primus is passenderwijze de eerste die zich presenteert, enkele ogenblikken nadat George zijn kamer binnen is gekomen. Hij eist een volledig verslag van de gebeurtenissen van de afgelopen avond en blijft maar zijn hoofd schudden.

'Nathan is geschift,' zegt hij dan. 'Hij is ervan overtuigd dat hij de volgende zal zijn. Ik wed dat hij een "veilige plaats" heeft opgezocht, niet binnen een straal van vijfhonderd kilometer.'

Ze moeten er allebei om lachen.

'Wat heb je voor theorie?' vraagt Rusty dan. 'Over gisteravond?'

Er is geen verband, legt George uit, behalve dat zijn poging zich niet door de bedreigingen van de Fanaat van de wijs te laten brengen achteraf vrij onnozel lijkt.

'Je gelooft nog altijd niet in Corazón?'

Vreemd genoeg valt de rechter nu opeens wel ten prooi aan de angst die bij die mogelijkheid hoort en die hij wekenlang heeft verdrongen. Zijn hart bonst en hij balt zijn handen tot vuisten terwijl hij beseft wat het zou betekenen als een meedogenloze sociopaat als Corazón het op hem voorzien heeft. Koll zou wel eens gelijk kunnen hebben met zijn zelf opgelegde ballingschap, als dat inderdaad het geval is. Maar diep in zijn hart gelooft George het nog altijd niet.

'Het wil er bij mij niet in,' zegt hij tegen de primus. 'We krijgen daar alleen zekerheid over als de politie die jongens weet op te pakken en dan kan nagaan of ze banden hebben met de Latinos Reyes. Maar ik geef niet veel voor de kans dat dat gebeurt. Mijn auto is waarschijnlijk door die jongens al doorverkocht of omgekat en die jongens zijn high van de opbrengst.'

'Waarschijnlijk wel,' beaamt Rusty.

Om twaalf uur lijkt het bezoek voorbij. George doet zijn deur dicht in de hoop door te kunnen gaan met zijn werk, maar zodra Dineesha de deur over de vloerbedekking hoort schuiven, staat ze voor hem. Met haar handen voor haar ruime middel gevouwen, kijkt ze hem vol verwachting aan. Ze is een knappe matrone met een groot bol kapsel, de mode uit de jaren zeventig die ze altijd trouw is gebleven. Met een bezwaard gemoed gebaart hij dat ze binnen kan komen. Hij heeft haar neerslachtige blik duizend keer eerder gezien en weet wat hij kan verwachten. Er is maar één oorzaak.

'Zeke zegt dat de politie met hem heeft gepraat, meneer, om te vragen waar hij vrijdag was. En hij was in St. Louis, meneer. Ik weet het zeker. We hebben zijn hond in huis gehad toen hij weg was. En hij zegt dat hij het met papieren kan aantonen.'

'Ik denk niet dat iemand eraan twijfelt, Dineesha.'

'Het is namelijk zo, meneer, dat dit een goede baan voor hem is. Maar als de politie het bedrijf belt, meneer...' Ze heeft haar handen verstrengeld. Het heeft geen zin te vragen of Zeke de vraag op het sollicitatieformulier of hij een strafblad heeft naar waarheid heeft beantwoord. Voor iemand als Zeke is het toch een uitgemaakte zaak: als je het doet zoals je het hoort te doen, kom je nooit ergens binnen.

'Ik denk niet dat dat zal gebeuren,' zegt hij tegen haar. Ze zucht en probeert te lachen. 'Maar waar de politie mee zat, was dat ze dachten dat u tegen Zeke had gezegd dat hij ze kon verwachten.'

Haar mond vormt een donkere O.

'Zo was het niet, meneer. Ik heb het donderdagavond met hem uitgesproken. Ik wou hem niet waarschuwen, ik wou alleen een hartig woordje met hem spreken. Meneer, hij zegt dat hij u nooit kwaad zou doen. Ik geloof hem, meneer.'

Dat is natuurlijk juist het probleem. Zijn moeder zal Zeke altijd geloven. Geen ander mens bij zijn volle verstand zou dat ook doen.

‘Dineesha, je denkt toch niet echt dat hij en zijn vriend hier rondliepen om naar de wc te gaan?’

Ze krimpt ineen bij die vraag en gaat op dezelfde stoel met rechte rug bij de deur zitten waarop ze laatst heeft zitten huilen, uit het zicht van haar oudste kind.

‘Nee, meneer. Dat denk ik niet.’

‘Wat deden ze hier dan? Wilden ze iets stelen?’

Ze lacht kort. ‘Nee, meneer. Het tegenovergestelde. Ze wilden iets terugbrengen.’

‘Uit mijn kamer?’

‘Uit mijn tas. Zeke was die ochtend bij me langs geweest. Vanwege de hond. En hij had mijn sleutels uit mijn tas gehaald.’

‘Waarom was dat dan?’

Ze drukt haar vinger tegen haar lippen; ze wil beslist niet gaan huilen.

‘Hij wilde in ons schuurtje. Daar hebben we zijn spullen opgeslagen toen hij weg moest, meneer.’ Naar de gevangenis, bedoelt ze. ‘En ik weet niet hoe precies, maar Reggie heeft daar twee pistolen gevonden, en toen Zeke vrijkwam, wilde zijn vader die niet aan hem geven. Hij mag geen vuurwapens hebben.’

Voor iemand met een strafblad is vuurwapenbezit zowel een federaal misdrijf als een misdrijf in deze staat.

‘En Reggie en Zeke beginnen om de paar maanden weer over die wapens. Zeke zegt dat hij ze alleen maar wil verkopen, dat ze goed geld waard zijn. Daarom heeft hij mijn sleutels gepakt om ze op te halen. Die jongen Khaleel, die heeft ze nu, maar ik denk dat het afgesproken werk was. Khaleel zou langskomen en de sleutels op mijn bureau leggen als ik even van mijn plaats was, en als iemand dat zag, zou hij zeggen dat hij ze op de gang had gevonden, voor de deur.’

Ze heeft haar handen voor haar gezicht geslagen.

'Meneer, als hij nu maar de goede kant op kan gaan, komt het wel in orde. Dat geloof ik echt.'

Van je kinderen kun je niet scheiden, denkt George. Dineesha blijft altijd en eeuwig hopen. En dus zal ze er steeds weer verdriet van hebben.

'Ik bedoel: meneer, ik heb niet het recht...'

'Ik houd het voor me, Dineesha.' Ze komt overeind, gebogen door de last die ze draagt.

Tien minuten later klopt ze opnieuw aan. Nou niet weer, denkt George. Zelfs Dineesha niet. Maar als ze opendoet, ziet hij dat ze zich heeft hersteld. Het gaat om zaken.

'Murph is aan de telefoon, meneer,' zegt ze. 'Het tweede district heeft twee jongens aangehouden. Ze willen dat u erheen gaat om te kijken of ze het zijn.'

17

HET TWEEDE DISTRICT

Het politiebureau van het tweede district is een fort, een redoute van kalksteen die omstreeks de vorige eeuwwisseling is opgetrokken. Het gebouw wordt vaak door tv- en filmploegen gebruikt als ze een façade zoeken die volstrekt ontoegankelijk lijkt. Wanneer je naar binnen gaat, zie je een veel nieuwere muur van cellenbeton met een raampje met kogelvrij glas erin, waarachter de wachtcommandant zit. Jaren terug was er een kleine schuifla zodat borgagenten of familieleden borggeld konden doorschuiven, maar dat was voordat een gangster een riotgun in de opening had gestoken en drie agenten zwaar had verwond. Tegenwoordig moet iedereen eerst door een metaaldetector.

Cobberly, de rechercheur met het blozende gezicht die

George de afgelopen avond op zijn nummer heeft gezet, bevindt zich aan de andere kant.

'Wat weten we van die beste brave jongens, Philly?' vraagt Abel. Onderweg heeft Abel verteld dat de jongste jongen vrijwel meteen is aangehouden in Georges Lexus die geparkeerd stond in een straat in het North End. Een uur later is de oudste komen aanwandelen met het autosleuteltje en een zak hamburgers.

Volgens Phil Cobberly zijn het broers, de jongsten van vier.

'Fijn gezin,' zegt de rechercheur. 'Pa was een draaideurcrimineel, maar nu komt er een soort reünie. De oudste twee jongens zitten net als hij in Rudyard. Heerlijk als het zo goed afloopt,' zegt hij.

'Bendeleden?' vraagt George.

'Allicht.'

'Latinos Reyes?'

'Nakko. Ze komen uit Kehwahnee, dat is Two-Six.' De Twenty-sixth Street Locos.

'Dus geen verband met Corazón?'

'Kun je niet zeggen. Two-Six en Latinos Reyes maken hun deals.'

Abel vraagt of de jongens een verklaring hebben afgelegd.

'Vaste prik,' zegt Cobberly. 'Wij weten van niks, wij hebben de wagen niet gepikt. Ze zijn minderjarig.'

Minderjarigen mogen niet worden verhoord zonder dat hun ouders erbij zijn, en die doen in het tweede district gewoonlijk niet open als de politie aan de deur klopt. Als de ouders niet komen, moet er iemand van de jeugdzorg bij het verhoor aanwezig zijn. De toevoegingsadvocaat van dit bureau is ook opgetrommeld, omdat beide jongens door de aard van hun misdrijf als volwassenen in staat van beschuldiging zullen worden gesteld. De advocaat heeft op zijn beurt zijn supervisor ingeschakeld. George vermoedt dat hij de reden is dat de advocaat zich laat bijstaan. Een toevoegingsadvocaat zal een rechter met fluwelen handschoenen willen aanpakken, zeker als het iemand bij het gerechtshof is die soms zijn kant kiest.

Als de supervisor aankomt, blijkt het Gina Devore te zijn, die hij kent uit de tijd dat hij nog rechter in eerste aanleg was. In juristenkringen is ze beroemd omdat ze een van haar cliënten in de bak heeft neergeslagen toen hij naar haar borst graaide. Gina is ruim anderhalve meter lang, met hakken, maar de man ging knock-out.

'De beste en de slimste,' begroet George haar. Ze verbaast hem door hem snel te omhelzen, in diensttijd. Ze is getrouwd met een rechercheur in Nearing en vertelt in enkele woorden hoe het met haar twee kinderen gaat.

'En je arm? Daar heb ik op tv over gehoord.'

'Het is uit te houden, maar ik denk niet dat ik je cliënten een bedankbriefje zal sturen.'

'Meneer,' zegt ze, 'als je ze ziet, besef je vast dat de verkeerde jongens zijn aangehouden.' Ze houdt haar gezicht in de plooi bij die opmerking, hoewel George en zij allebei heel goed weten dat de jongens niet alleen in de auto van de rechter zijn aangehouden, maar dat ook de beschrijving van hun kleding – en de wapens die voorin op de stoelen zijn gevonden – precies klopt.

Het verweer van de jongens, als het volgens het boekje gaat, zal zijn dat ze de Lexus hebben aangetroffen met het sleuteltje in het stuurslot. Op zijn minst is dat vergezocht. Maar als George het tweetal herkent, is de zaak beslist. Geen jury zal onder de omstandigheden aan het woord van een rechter twijfelen.

Voorafgegaan door de recherchechef, Len Grissom, een

magere, in zichzelf gekeerde Texaan, betreedt de stoet – twee advocaten, een assistent-aanklager die Adams heet en bij een andere zaak is weggeroepen, Cobberly, Abel, verschillende politieagenten en uiteindelijk de rechter – de ruimte waar de politiemensen van het tweede district zich aan het begin van hun dienst verzamelen. Het lijkt wel een klaslokaal, vol schoolstoelen met plastic schrijfbladen aan de rechterarmleuning. Vooraan blikkert een batterij schijnwerpers. Die zijn aangebracht om de deelnemers aan de identificatierij goed te belichten en tegelijkertijd te voorkomen dat de deelnemers de getuigen goed kunnen zien.

Vier jongens komen achter elkaar binnen en verspreiden zich over het toneel, vanwaar op andere tijdstippen de dagindeling bekend wordt gemaakt. Ze zijn allemaal tussen de een meter zeventig en een meter tachtig, de lengten die George voor zijn tweede overvaller heeft genoemd. Drie van de jongens zijn waarschijnlijk vrijwilligers uit de jeugdgevangenis die voor hun medewerking zullen worden beloond met een hamburger in de wagen waarmee ze worden teruggebracht. Ze dragen allemaal blauwe gevangenisoveralls, maar ze geven elkaar een sweatshirt door. Om beurten trekken ze het even aan, zetten de capuchon op en trekken hem strak, en laten zich van voren en van opzij zien.

Wanneer de modeshow, zoals het wordt genoemd, voorbij is, heeft George zijn keus bepaald op de derde jongen van links. Gina heeft kennelijk bezwaar tegen de omstandigheden en zit verwoed te schrijven. Het probleem is duidelijk. Twee van de jongens hebben niet het opgeschoren haar dat George de jongste heeft toegeschreven, maar zelfs met die aanwijzing heeft hij geen absolute zekerheid over de jongen die hij wil aanwijzen. Uit zijn ooghoek ziet de rechter dat Cobberly over zijn gezicht krabt. Hij gebruikt er drie vingers voor en haalt zijn nagels drie keer over zijn wang. Dat herhaalt hij nog twee keer. George zegt niets, maar blijft staren tot het Gina's jongere collega opvalt.

'Wat?' zegt Cobberly.

'Kan die oen niet weg?' vraagt Gina aan Grissom. Ze kijkt naar George. 'Heb je hem herkend?'

'Zestig, zeventig procent,' zegt hij. 'Ik zou zeggen: lijkt het meest.' De advocaten maken aantekeningen.

Het duurt ruim een halfuur voordat de tweede groep verschijnt, die van de langere jongens, omdat Gina heeft geëist dat Grissom elk van hen vooraf een sweatshirt geeft; alle jongens verschijnen in sweatshirt met om het hoofd strakgetrokken capuchon, zodat George niets kan afleiden uit hun kapsel.

'Mag ik dichterbij komen?' vraagt hij aan Gina.

George blijft op een meter van het toneel staan. Gina heeft Grissom gevraagd alle deelnemers op te dragen alleen recht vooruit te kijken, maar als George komt aanlopen kan de vierde in de groep, de jongen die hij al wil aanwijzen, de verleiding niet weerstaan even omlaag te kijken. Zijn blik blijft niet lang rusten, maar hij had net zo goed hem de hand kunnen drukken en George voor *puto* kunnen uitmaken omdat hij hem van vroeger kent.

De rechter blijft staan en wijst.

'O man,' zegt de jongen, maar het klinkt niet echt verontwaardigd. Na de stunt van Cobberly durven de andere agenten nauwelijks naar George te kijken, maar hij voelt aan de stemming in het zaaltje dat hij de juiste jongen heeft aangewezen.

Vervolgens neemt Grissom George en de stoet van juristen mee naar het bureau van een van de rechercheurs. Er zijn zes kleine vuurwapens neergelegd, waarvan er twee ongetwijfeld bij de aanhouding van de jongens in beslag zijn genomen. Toen George als toegevoegd advocaat begon wist hij niets van handvuurwapens, maar hij heeft door zijn werk meer geleerd dan hem lief is, en hij is min of meer op de hoogte gebleven omdat hij vaak in de processtukken rapporten van vuurwapendeskundigen aantreft. Hij dacht dat het zilverkleurige wapen met de zwarte handgreepplaten dat de oudste jongen op hem heeft gericht een Kahr MK40 was, die hij herkende omdat het momenteel het favoriete onzichtbaar gedragen wapen is. Waarschijnlijk was dit wapen 'gehuurd' van een ouder bendelid in ruil voor een aandeel in de opbrengst. De tweede jongen had een .32 of .38, ook een automatisch wapen. Het eerste wapen wijst George zonder aarzelen aan. Het axioma uit de rechtszaal is waar: het is het enige wat je echt ziet. Hij raadt naar het tweede.

'Waarmee de onbetrouwbaarheid van ooggetuigenverslagen ook van tafel kan,' mompelt Gina. Nadat is vastgelegd wie volgens George de daders zijn, wachten George en Abel en Gina op de politiemensen die in het rechercheIokaal zijn achtergebleven, met de assistent-aanklager, om vast te stellen dat ze niets meer nodig hebben om hun zaak aanhangig te maken.

'Geen van beide wapens was trouwens geladen,' zegt Gina tegen George, onder het wachten. 'Ik zeg het maar even.'

'Beroeps, zeker?' vraagt Abel.

'Geen onbekenden van de politie. Maar het doet er toch toe? Niet het risico nemen dat iemand erin blijft?'

'Tenzij door een hartaanval,' zegt de rechter.

De politie en de aanklagers zullen vast tevreden zijn, maar vanuit de optiek van George is het aanwijzen van de juiste jongens nog maar het begin. Waar het echt om gaat is of ze door Corazón zijn gestuurd. Gina zal niet toestaan dat de jongens iets tegen de politie zeggen, zeker niet tegen Cobberly of iemand zoals hij. George blijft op het probleem kauwen.

'Hoe zou je reageren als ik zei dat ik met je cliënt wil spreken?' vraag de rechter aan Gina. 'Met de langste?'

'Wat levert het hem op?' pareert Gina onmiddellijk.

'Daar ga ik niet over.'

Ze lacht hem toe. 'Volgens mij zal iedereen heel aandachtig luisteren naar de aanbevelingen van een rechter bij het gerechtshof.'

'Laten we dan kijken of hij wat wil zeggen. Dat is de enige manier waarop hij de druk kan verlichten.'

Gina loopt weg om haar cliënt op de hoogte te brengen.

De jongen wordt neergezet in een afgetrapte verhoorkamer met een oude houten tafel en drie stoelen en putten en vegen van hakken in de muren. Vanaf de gang is hij zichtbaar door een doorkijkspiegel. Niettemin begeleiden Grissom, Gina en de assistent-aanklager George naar binnen en ze blijven achter hem staan terwijl hij op de stoel tegenover de jongen gaat zitten. Er zit een ijzeren oog in de vloer om gevangenen in vast te zetten die aan de enkels geboeid zijn, maar deze jongen is minderjarig en heeft alleen handboeien om. Gina heeft als voorwaarde gesteld dat de jongen niet opnieuw zal worden gewaarschuwd, wat betekent dat zijn uitspraken ter zitting niet mogen worden gebruikt, gesteld dat het tot een proces komt.

'Man, het slaat nergens op dat je mij er uit hebt gepikt, man,' zegt hij tegen George.

'Hoe bedoel je?'

'Man, ik heb jou nog nooit gezien. Nooit, man.'

'Volgens mij had je gisteravond je ogen niet dicht, dus

ik denk niet dat ik dat geloof.'

'Welnee, man. Je hebt het helemaal mis.' De jongen heeft een rond gezicht, een haviksneus en grote donkere ogen, die bezorgd heen en weer schieten. Het ravenzwarte matje glanst op zijn achterhoofd. Zelfs als hij liegt, ziet hij er heel wat hebbelijker uit dan met een pistool in zijn hand.

Achter George laat Gina zich horen.

'Hector,' zegt ze, 'heb je niet geluisterd? Ik heb toch gezegd dat je uit twee dingen kunt kiezen. Of je houdt je mond, of je zegt tegen de rechter dat het je spijt en geeft hem netjes antwoord op zijn vragen. Niemand wil horen dat je er gisteravond niet bij bent geweest.'

'*Es verdad*, man,' zegt Hector.

'Hou toch op,' zegt Gina. 'Luister naar wat de rechter wil weten, daarmee kun je verder komen.'

Deze keer hoort Hector het woord 'rechter'.

'Ben je rechter?' Als George knikt, speelt er een lachje om Hectors lippen. Hij heeft een rechter beroofd. Dat levert hem op straat prestige op. Maar het lachje is verdwenen zodra de jongeman begint na te denken. Op zijn gezicht kun je zien hoe het mechanisme werkt en hoe zijn bezorgdheid toeneemt. 'Hoe gaat dat dan verder? Je wordt toch niet mijn rechter?'

'Nee.'

'Een van je mensen, toch?'

'Dat hoeft niet.'

'Ha,' zegt Hector. Dat gelooft hij geen ogenblik. Zijn tong schuift heen en weer in zijn mond terwijl hij over zijn lastige situatie nadenkt. Dan kijken zijn zwarte ogen George opeens verrassend open aan.

'Hoe gaat dat eigenlijk?' vraagt hij.

'Wat?'

'Nou ja, gewoon, je zit daar en dan zeg je: "Jij bent schuldig, man. En jij niet. En die daar krijgt vijfentwintig jaar. Maar jij, *hombre*, jij krijgt twaalf maanden."' Hector gebaart met zijn geboeide handen terwijl hij zijn denkbeeldige vonnissen uitspreekt. 'Is dat cool of niet?'

'Dat is eigenlijk niet meer mijn taak,' zegt George. 'Maar toen ik dat deed, vond ik het niet echt prettig.' George heeft nooit een rechter ontmoet die niet zei dat veroordelen hem of haar het zwaarst viel.

'*Ese*,' zegt de jongen, 'is wel cool.' Toen George als toegevoegd advocaat dit soort gesprekken voerde, placht hij zijn jonge cliënten altijd hetzelfde verhaal voor te houden: kap met de misdaad, ga studeren, je kunt zelf ook advocaat worden. Het was 1973 en George geloofde erin. Hij hoort nog wel eens van iemand die hij heeft verdedigd dat die een nieuw leven is begonnen, maar niemand is advocaat of rechter geworden. Tegenwoordig reageren jongens als Hector honend. Op hun zestiende weten ze al dat een groot deel van de wereld voor hen gesloten blijft.

'Hector, ik wil weten waarom jij en je broer hebben besloten mij te overvallen.'

'Man, ik weet echt niet wie je heeft overvallen. Maar het was vast om de presidenten te zien.' Om aan geld te komen, bedoelt hij.

'Misschien kunnen we het beter aan Guillermo vragen,' zegt Grissom achter George. Dat is de jongere broer.

'Die is maf, man. Wat die zegt, daar kan je niet van op aan. Die is echt maf, man.'

Niettemin heeft Grissom gescoord. Hector lijkt ontnuchterd.

'Gebroken?' vraagt hij, wijzend op Georges mitella.

'Haarscheurtje. Nogal pijnlijk.'

'*Y que*,' zegt Hector. 'Je moet je werk doen.'

'Als je het zo wilt noemen,' zegt George en hij kijkt de jongen kil aan. 'Ik wil weten waarom je me hebt overvallen, Hector. Ik wil het hele verhaal. Het is de enige manier waarop jij en Guillermo er beter af kunnen komen.'

Hector denkt erover na, terwijl George strak naar hem blijft kijken.

'*Y que*,' zegt hij nogmaals, vermoeid, en verslagen haalt hij diep adem. 'We hebben een *carnal*, man. Fortuna. Die moest vorige week voor het eerst voorkomen. En die rechter, man, die heeft hem toch vuil gepakt. Twintig ruggen, man. Voor borg? En hij is er alleen bijgeluld in een dealtje, man. Twintig ruggen! Waar slaat dat op? Dus Billy en ik, wij wouen bijschieten.'

'Hem helpen het borgbedrag op te brengen?'

Hector knikt. 'We hadden jou gezien. Je zat daar maar. Een paar keer hadden we je al gezien. Dus daarom hadden we de *cuetes* erbij gehaald. Maar Billy, man, toen het moest gebeuren, zei Billy: "Nee, man, die *hombre* kunnen we niet doen, man, het lijkt wel of hij zit te bidden." Was dat bidden wat je deed, in de auto?'

George moet er even om lachen.

'Maar waarom ik, Hector, waarom niet iemand anders?'

De jongen werpt hem een snelle, honende blik toe.

'Man, het is een mooie wagen, toch? *Mucho ferria*.' Die heeft een smak geld gekost.

George was er niet van overtuigd dat een Lexus uit 1994, vrijwel antiek, veel straatwaarde zou hebben, maar Cobberly heeft hem verteld dat de Mexicaanse bendes bij voorkeur wat oudere auto's optuigen, auto's die zij als klassiekers beschouwen. Een uit noodzaak voortgekomen stijl is nu in de mode.

'Heeft niemand me aangewezen? Of de auto beschreven?'

'Man! Je zat daar. Wij waren daar. We konden niet weten dat je rechter was, man. Geen idee. Ik heb het pas later gehoord, van die lamlul die hem van ons zou overnemen. Die zei meteen: "*Mala suerte*, man, die wagen is op tv geweest, die moet ik niet hebben." Maar hij zei niks over een rechter.' Hector schudt zijn hoofd over zoveel pech.

'En degene van wie de wapens waren?' vraagt George. 'Heb je er met hem ook niet over gepraat?'

'Jorge? Nee, die kan je niks vertellen. Anders komt hij het zelf doen.' De jongen fronst. 'Jorge, man, dat zal me een *vato loco* zijn dat de wapens weg zijn.'

'Iets anders, Hector: komt de naam Jaime Colon je bekend voor? El Corazón?'

George heeft zijn best gedaan de vraag op zakelijke toon te stellen, maar Hector verschiet van kleur. Hij leunt naar achteren en werpt George met toegeknepen ogen een ongelovige blik toe.

'Corazón?'

'Weet je wie dat is?'

'*Ese*. Of ik die ken, Corazón? Heb ik zo vaak gezien, man.'

De rechter houdt met enige moeite zijn gezicht in de plooi.

'Waar heb je hem dan gezien?'

Hector kijkt in de verte om de tijd te bepalen.

'Dinsdagavond, toch? Mijn moeder, man, die kijkt altijd naar de *telenovelas*. Ze is gek op die kerel. "*Mira, mira. El Corazón.*" Helemaal *loca* van die kerel.'

Terwijl ze de kamer uit lopen, pakt Gina George vast.

'Geloof je hem?'

'Min of meer.'

'Ik wil drie voor hem. En twee voor het broertje. De wapens waren ongeladen.'

'Dat is te weinig.'

'Och kom, meneer. Eerste volwassen vergrijp.'

Hij herinnert zich hoe hij zich voelde bij de confrontatie met dat pistool. Zijn instinct geeft hem in zes te zeggen, maar dat is wat er tegen de jongens van de zaak-Warnovits is geëist voor het verkrachten van Mindy DeBoyer.

'Gina, ik heb mijn arm in een mitella. En die jongens moeten voorkomen. Vijf en drie lijkt me in dit geval redelijk. Dat zal ik ook tegen de aanklager zeggen.'

Marina arriveert te laat voor het verhoor. Ze komt net aanlopen als George en Abel willen vertrekken. Grissom komt erbij staan en gedrieën beschrijven ze wat er is gebeurd. Marina stelt nog allerlei vragen voordat ze weggaan.

'Wat denk je?' vraagt George buiten aan haar. Ze lijkt wat lusteloos, minder energiek dan anders. Maar door de gebeurtenissen is ze slaap tekortgekomen.

'Ik denk dat niemand die goed bij zijn hoofd is Corazón zal beschuldigen – of het nu iemand van zes, van zestien of van zestig is.'

George probeert rustig te blijven, maar bij Marina vergeleken, heeft Ahab zijn ontmoeting met dat beest luchtig opgevat.

'Niet dat het er meer toe doet,' voegt ze eraan toe.

'Hoezo?'

'Ik ben onderweg door de FBI gebeld. Ik had toch gezegd dat we forensische software op uw harde schijf zouden loslaten? Toen ik Kolls brief kwam brengen, hoorde ik wat dat heeft opgeleverd. Ze zijn maar één ding te weten gekomen, maar dat is dan ook interessant. Die allereerste e-mail die u hebt gekregen? Ze hebben uitgevogeld van welke computer die afkomstig was.'

'En?'

Ondanks haar vermoeidheid kijkt Marina hem recht in de ogen.

'Het was die van u. In uw werkkamer.'

18

COMPUTERONDERZOEK

George staat met Marina en Abel op de stoep bij het politiebureau van het tweede district en probeert zich te beheersen. Het is aflostijd en de surveillancewagens staan dubbel geparkeerd op het terreintje achter het bureau terwijl agenten in uniform, de meesten twee aan twee, in en uit lopen in het afnemende licht van een zachte avond in het late voorjaar. Aan de overkant staan in een onverzorgd plantsoen nog een paar bomen in bloei op een grasveld dat bezaaid ligt met zwerfvuil en allang had moeten worden gemaaid. George heeft last van zijn arm. Hij moet meer ibuprofen hebben.

'Mijn computer?' vraagt hij. 'Het eerste bericht kwam uit mijn eigen computer?'

'Jawel,' zegt Marina. 'Ze waren eindelijk zover dat ze

met hun forensische software een reconstructie van uw harde schijf hadden gemaakt, waardoor ze alles konden zien wat erop had gestaan. Ik bedoel: het ligt voor de hand dat een naar uw computer retour gestuurd bericht van uw computer afkomstig was. Maar omdat de overige e-mails via een open server waren doorgestuurd, hadden de technici van de FBI daar verder geen aandacht aan geschonken. Pas toen ze de harde schijf nogmaals met het forensische herstelprogramma controleerden om uw kopie te zoeken van de boodschap die Koll had ontvangen, om te kijken of ze daarin iets over het hoofd hadden gezien, gingen de techneuten weer met dat eerste bericht aan de slag – u dacht toch dat u dat bericht had gewist? – en toen ze dat bericht hadden hersteld, gingen de lampjes branden. Het was afkomstig van uw eigen IP-adres, via de server van het gerechtsgebouw. Dat leek nogal bizar omdat het bericht niet in uw vakje met uitgaande post zat. Ze dachten dat ze iets heel geraffineerds op het spoor waren, maar toen stelde iemand voor het vakje met uitgaande post ook te herstellen, en daar zat het in. Het was gewist.'

'En de andere e-mails die ik heb ontvangen?'

'Nee. Volgens de FBI is alleen het eerste bericht met uw eigen computer verstuurd. Voor de andere is uw adres nagebootst; daarvan is geen spoor op uw harde schijf terug te vinden.'

'En welke conclusie wordt daaruit getrokken, Marina? Dat ik mezelf heb bedreigd?'

Marina kauwt op haar antwoord. 'Vraagt u dat aan mij of aan de FBI?' zegt ze ten slotte.

'God nog aan toe,' is het enige wat George kan uitbrengen.

'Ja, maar het zou niet de eerste keer zijn dat iemand aandacht probeert te trekken met dreigbrieven. Het gebeurt geregeld.'

Dus daarom heeft de FBI het forensische programma gedraaid. Omdat bij iemand de gedachte was opgekomen dat de eerste logische verdachte nog niet was doorgestreept. Ondanks zijn ergernis beseft George dat hij waarschijnlijk een geloofwaardiger verdachte is dan Corazón.

'Marina, ik zat met John Banion in overleg toen een van de eerste berichten binnenkwam. Die keer dat we jou hebben gebeld? Die had ik zelf niet kunnen versturen.'

Ze trekt haar ene schouder op. 'Het kan wel twintig minuten duren voordat een verzonden bericht wordt ontvangen.'

'En welk motief heb ik?' Maar dat is duidelijk, als hij even nadenkt. Hij is immers kandidaat voor verlenging en hij kan baat hebben bij een heldenimago. 'Denken ze dat ik ook zelf mijn arm heb gebroken?'

'Het is maar een theorie, meneer. Denkt u dat ik op deze manier met u zou praten als ik het ook geloofde?'

Tot tien tellen, denkt hij, en in gedachten werkt hij de getallen langzaam af.

'Maar laten we nagaan wie het wel is,' zegt ze, 'en onszelf buiten beschouwing laten. We zoeken iemand die toegang had tot uw computer.'

'Niemand heeft toegang tot mijn computer. Dat meen ik, Marina. Wie op mijn stoel gaat zitten en een briefje begint te tikken, krijgt daar heel veel last mee.'

'Het hoeft maar dertig seconden te duren om een paar woorden te tikken, als u even van uw plaats bent.'

George probeert te bedenken wat er ook weer in de eerste briefjes stond.

'Dus als ik het goed begrijp,' zegt hij, 'komt de eerste e-mail, die met: "Je moet betalen," uit mijn eigen computer. En dan stuurt iemand anders me dezelfde dag hetzelfde bericht nog twee keer met behulp van een andere computer?'

'Precies.'

'Waarom?'

'Om uw aandacht te trekken, natuurlijk.'

'Nee. Ik bedoel: waarom zou iemand mijn eigen computer gebruiken? Hadden we dit allang moeten opmerken? Is het net zoiets als de sms'jes naar mijn mobieltje? Of het bericht naar mijn huis? Wil de Fanaat me laten merken dat hij me in mijn privé kan raken?'

Een wenkbrauw schiet omhoog. 'Wat voor bericht naar uw huis?'

'Het was er maar eentje,' zegt George, die even bang is dat ze hem zal slaan.

'U bent me een nummer,' zegt Marina ten slotte.

'Mijn excuses.'

Ze heeft iets langer nodig om te kalmeren. Nu staan ze min of meer quitte, allebei verontwaardigd, maar nog net beheerst.

'Tja,' zegt ze ten slotte, 'als u had moeten opmerken dat die e-mail van uw eigen computer kwam, waarom zou iemand hem dan wissen? Volgens de techneuten is zowel de ontvangen brief als de verzonden brief tegelijkertijd gewist. Ongeveer zes uur na verzending.'

'Dus niet bij toeval gewist?'

'Daar lijkt het niet op.'

'Nu weet ik het niet meer,' zegt George.

'Best,' zegt Marina, 'maar laten we het nog eens doornemen. We hebben het over iemand die onopgemerkt uw kamer binnen kan lopen. Twee keer, die dag. Vertelt u maar wie het is.'

'Is er iets bekend over tijdstippen?'

Marina heeft haar boekje in de borstzak van haar kaki jasje.

'Verzonden om negen uur tweeënveertig 's ochtends. En beide files worden even voor vieren in de middag gewist.'

'Dus op beide tijdstippen zijn er beslist andere mensen in de buurt?'

'Je zou zeggen van wel. Weet iemand het wachtwoord van uw computer?'

'Dineesha.'

'Alleen Dineesha?'

De waarheid treft hem als een blikseminslag. Zeke. Toch Zeke. Het staat vast dat hij in de spullen van zijn moeder neust. Ze heeft het wachtwoord ergens opgeschreven, en Zeke heeft het gevonden. De rechter spreekt zijn naam uit.

'Als ik het niet dacht,' zegt Marina. 'Daar moest ik ook aan denken toen ik het hoorde van de FBI. Maar dat eerste bericht niet, dat is op een vrijdag verstuurd en toen werd Zeke geacht in St. Louis te zijn. En we hebben net het bedrijf gebeld om het na te vragen. Hij heeft een alibi.'

Wel een alibi, maar geen baan meer, denkt George. Zekes baas in St. Louis houdt hem geen dag langer in dienst als de FBI navraag naar hem heeft gedaan. Zo gaat dat voor Zeke. Maar zoals altijd heeft George meer medelijden met Zekes moeder.

'Nou goed,' zegt hij. 'Waar waren we gebleven?'

'Het wachtwoord van uw computer. Dat weet alleen Dineesha.'

'O ja.' Hij denkt na. 'Maar als ik bezig ben op de computer, en even de gang op loop, treedt de beveiliging toch pas na een kwartier in werking?'

‘Dat zou tien minuten moeten zijn,’ zegt Marina. ‘Dus laten we zeggen dat er op dat ogenblik iemand is binnengekomen die een berichtje tikt. Wie kan dat zijn?’

‘Elk van mijn medewerkers.’

‘Goed. Daar richten we dan allereerst onze aandacht op. Vanwege de tijdstippen. Wie kan nog meer uw kamer binnenwandelen?’

‘Er komt wel eens een rechter binnen om een concept af te geven. Tegenwoordig worden stukken meestal gemaild, maar af en toe moet er iets worden besproken en dan komt een van mijn collegae me zijn of haar opinie zelf brengen. Als ik de eerste keer niet op mijn plaats zat, had hij een excuus om nog een keer langs te komen.’

‘En kunnen we bepalen met welke rechters u samenwerkt?’

‘De termijn loopt ten einde, Marina. Afgelopen maand heb ik waarschijnlijk met alle leden van het hof concepten uitgewisseld, inclusief de primus.’

‘Goed. Dus uw medewerkers en de andere rechters. Wie nog meer?’

‘Misschien hun griffiers. Het is mogelijk. Maar als we praten over wie er langs Dineesha kon komen zonder op te vallen, moeten we jouw toko er ook in betrekken. Murph en jij.’

‘We zetten mij op de lijst van verdachten direct na uw naam. Wie nog meer?’

‘Systeembeheer. Onderhoudsmensen. Dat is het wel zo’n beetje.’

‘Goed. Waar beginnen we?’

‘Waarmee?’

‘Ik wil graag met uw medewerkers praten.’

George weet waartoe dat zal leiden. Stevige verhoren. Dineesha, John, Cassie, Marcus. Die krijgen het zwaar te verduren, ze krijgen beschuldigingen naar het hoofd geslingerd. Het idee staat hem absoluut niet aan en dat zegt hij ook.

'Hebt u zelf een idee? Iemand met wie we moeten beginnen?'

'Mag ik er een nachtje over slapen?'

Marina vindt het goed. Abel zal George terugrijden naar het gerechtsgebouw en daarna naar huis. Bij het busje aangekomen, knipt George met zijn vingers en draaft terug naar het bureau om Grissom aan te spreken.

'Helemaal vergeten,' zegt hij. 'Waar is mijn auto gebleven?'

Die staat op de parkeerplaats van de technische recherche. Zelfs als er extra haast achter wordt gezet zullen de werkzaamheden – vezels verzamelen, stofzuigen, fotograferen – een paar dagen vergen, waarna de auto pas wordt vrijgegeven.

Grissom laat hem een grijnsje zien. 'Bovendien gaat u toch zeker niet zelf rijden? Met uw arm in een mitella?'

'Dienstkloppers,' zegt George tegen Abel als hij in het busje stapt.

In zijn kamer ziet hij dat Banion, ijverig als altijd, papieren op zijn stoel heeft neergelegd, prints van een tijdschriften-database. Het duurt even voordat George begrijpt waar het op slaat. Het is een opsomming van auteurs die Lolly of Viccino heten. Onderaan op de bovenste pagina staan vier vermeldingen uit tijdschriften over quilts van de hand van ene Lolly Viccino Gardner. John heeft een andere zoekmachine gebruikt om een telefoonnummer en een adres op te diepen in Livermore, in Californië; die gegevens heeft hij in zijn priegelige handschrift in de kantlijn geschreven.

George kijkt op zijn horloge. Het is daar twee uur eerder.

'Ik ben nog even bezig, Abel,' roept hij. Abel heeft zich op de groene bank uitgestrekt om zich in een pocketroman over politiemensen te verdiepen. Hij steekt alleen even zijn hand op terwijl George de deur sluit.

Waarom? vraagt hij zich af. Maar hij toetst het nummer al in. Het gaat vier keer over, en degene die opneemt klinkt een beetje buiten adem, alsof ze naar het toestel is gehold.

'Ik ben George Mason. Rechter George Mason. Ik zou graag een vrouw spreken die Lolly Viccino heet, of vroeger die naam gebruikte.'

De tijd verstrijkt. 'Daar spreekt u mee.'

'En bent u de Lolly Viccino die in 1964 aan Columa College studeerde?' vraagt hij, hoewel hij al weet dat hij haar heeft gevonden, omdat hij een heel licht Tidewater-accent heeft gehoord in de paar woorden die ze heeft gebruikt.

Lolly Viccino heeft inmiddels haar eigen afweging gemaakt.

'Gaat het om geld? Zamelt u geld in voor dat tehuis? Want in dat geval hebt u echt de verkeerde te pakken.'

'Nee, mevrouw,' zegt hij, in het besef dat hij zelf een beetje klinkt zoals hij veertig jaar geleden moet hebben geklonken. 'Helemaal niet. Nee.'

'En u bent rechter, zegt u?'

'Ik ben rechter,' zegt hij. 'In DuSable.'

'DuSable. Nooit geweest. Weet u wel zeker dat u degene hebt die u zoekt?'

'Nee, nee,' zegt hij, 'het is niet officieel.'

'O,' zegt ze. 'Ik hoopte al dat u belde om te zeggen dat ik een miljoen heb geërfd van een vergeten familielid.' Ze lacht even, een geluidje dat tamelijk bitter klinkt.

'Helaas,' zegt hij.

'Waarom belt u dan wel?'

Hij vertelt eindelijk dat hij in Charlottesville heeft gestudeerd.

'En heb ik u dan gekend?' vraagt ze.

'Ik denk het wel.'

'Zijn we samen uit geweest? Ik weet niet of ik daar al afspraakjes had.'

'Nee,' beaamt hij.

'Hoe hebben we elkaar dan leren kennen?'

Nu staat hij met zijn mond vol tanden. Het gaat hem niet lukken de woorden over zijn lippen te krijgen. En het zou wreed zijn haar te herinneren aan iets wat ze heeft verdrongen, achteloos of juist met de grootste moeite. Zelfs op de dag na de gebeurtenis wist hij niet goed hoeveel ze ervan had onthouden. Hij geeft geen antwoord.

'Want ik denk daar nooit meer aan,' zegt ze. 'Ik kom nooit meer in die uithoek. U wel?'

Eigenlijk niet. Na de dood van zijn ouders is hij er niet meer geweest. Zijn beide zussen wonen in Connecticut. Hij heeft zijn banden met Virginia in feite verbroken. Datzelfde geldt dus voor Lolly Viccino.

'Het is daar allemaal zo oud,' zegt ze. 'Ik ben blij dat ik daar weg ben. Ik spreek niemand meer die daarvandaan komt. En waarvan ken ik u?'

'Ik heb alleen een herinnering,' zegt hij. 'Aan een ontmoeting in het feestweekend in het najaar. En ik moest denken over bepaalde dingen die toen zijn gebeurd.'

'Nou, daar weet ik echt niets meer van. Ik kan me niemand van toen meer voor de geest halen. Ik vond het allemaal verschrikkelijk daar.'

'O,' zegt hij.

'Dus ik ben bang dat ik u niet kan helpen, meneer Mason.'

'Nee.'

Ze wacht met ophangen. Natuurlijk denkt ze dat ze die naam kent. Dat is ook zo. Je kunt niet in Virginia opgroeien zonder de naam George Mason te horen. Er is een universiteit naar hem genoemd, er zijn straten die naar hem heten. Anders had ze, daar is George van overtuigd, allang de verbinding verbroken.

'Ik was benieuwd,' zegt hij. 'Ik vroeg me eigenlijk af hoe uw leven is geworden.'

'O ja? Hoezo? Hoe is uw leven geworden?'

'Heel goed,' zegt hij zonder aarzelen. 'Heel goed.' Dat is in feite de onuitgesproken vraag van de afgelopen maanden, en hij beseft dat het antwoord juist is. Hij heeft het meeste bereikt van wat hij ooit heeft willen hebben. Dat kan hij al een hele tijd zeggen, zeker sinds zijn aanstelling bij het hof. Met zijn gezin is het altijd goed tot heel goed gegaan, afhankelijk van het ogenblik. De meeste ochtenden beseft George Mason bij het wakker worden dat het leven voor hem beter is verlopen dan voor de meeste mensen.

'Dat kan ik niet zeggen,' zegt ze. 'Ik kan me redden. Tot nu toe heb ik me kunnen redden. Ik ben hier toch? Eén dag tegelijk. Zo is het toch voor iedereen? Het is toch voor niemand gemakkelijk, meneer Mason?'

'Nou ja, ik betreur alles wat ik heb gedaan om het moeilijker te maken,' antwoordt hij. Als hem een verklaring was gevraagd toen hij de telefoon pakte, had hij gezegd dat hij haar belde om haar hulp te vragen bij de beslissing in een zaak. Hij dacht dat hij naar Lolly gezocht had om na te gaan hoeveel schade haar was aangedaan en hoe boos ze daar veertig jaar later nog over was. Of om zijn interpretaties van nu te bevestigen. Had ze zichzelf willen straffen of vernederen toen ze meeging met Hugh Brierly en zijn kamergenoot, of was ze eenvoudig het slachtoffer geworden van zo'n mateloze jeugdige naïveteit? Was ze misleid? Of zelfs onder druk gezet? Of wil hij weten of het incident misschien niet op zichzelf had gestaan? Maar nu blijkt dat hij haar het liefst wil aanspreken als iemand die van zijn leven heeft geleerd en nu beter weet. Iemand die met spijt terugkijkt. Iemand die wil dat hij iets aardigs, in plaats van iets wreeds, had kunnen maken van dat gewichtige ogenblik in zijn leven, op de eerste plaats voor hemzelf, maar ook voor haar. En die dat dan tegen haar zegt.

'Allemachtig,' zegt Lolly Viccino. 'U bent de enige niet. Bent u bij de AA?'

'Nee.'

'Want die mensen willen altijd contact met iemand die ze sinds Noach niet meer hebben gezien om te zeggen dat ze er spijt van hebben. Daarom ben ik ermee opgehouden,' zegt ze. 'Daar zie ik het nut niet van in. Wie moet mij vergiffenis schenken voor alle stomme streken die ik heb uitgehaald? Niemand. Dat is zeker. Je moet gewoon door. Dat is wat je moet doen. Aan het verleden verander je niets meer, zo is het toch? Heb ik gelijk of niet? Dus zand erover. Dat is mijn houding.'

'Aha,' zegt hij.

'Sommige mensen zijn zo. Ik ben zo. Dus ik kan u niet helpen, sorry. Wat het ook is, het is een eeuwigheid geleden.'

'Natuurlijk.'

'Bedankt voor uw telefoontje, meneer Mason.' Nu ze heeft bevestigd wat haar levensmotto is, lijkt ze het contact te willen verbreken voordat hij haar aan iets anders kan herinneren. Dan hoort hij iemand achter haar iets zeggen, een vrouw, waardoor Lolly nog haastiger een einde aan het gesprek lijkt te willen maken. Het laatste woord dat hij van haar hoort voordat de hoorn wordt neergelegd is: 'Vreemd.'

19

CASSIE

George Mason kent Cassandra Oakey al haar hele leven. Hij heeft haar in zijn armen gehouden toen ze nog geen maand oud was en hij kan zich nog heel goed herinneren dat hij een hele middag Vang-het-visje met haar heeft gespeeld toen ze zeven was. Ze had vrij van school en was met Harrison mee naar kantoor gekomen, terwijl voor George het leven enige tijd stilstond omdat hij moest wachten op de uitspraak van de jury. Harry, dol op sport, had George een paar keer meegesleept naar tennistoernooien van Cassies middelbare school, waar ze met haar team in haar categorie het kampioenschap van de staat behaalde. Ze was niet snel, maar ze speelde geconcentreerd en krachtig, met een service als een mortiergranaat.

Maar Cassie Oakey is een van degenen die ongestraft

bij de rechter in en uit loopt, en van zijn medewerkers is zij degene die er geen enkele moeite mee zou hebben om Georges computer te gebruiken. Van meer betekenis is het feit dat Cassie Oakey de enige van zijn medewerkers was die samen met hem in hotel Gresham was toen zijn mobieltje verdween. En Cassie vertrekt over twee weken, en koestert blijkbaar een zekere rancune.

'Het moet iemand zijn die bij ons werkt,' legt George uit aan Patrice terwijl ze in de keuken zitten te eten, restjes van een restaurantmaaltijd in twee plastic bakjes. 'Het is geen realistische veronderstelling dat iemand twee keer op een dag ongemerkt mijn computer heeft kunnen gebruiken terwijl ik even weg was. Cassies kamer is vlakbij. Wie van de anderen kan zo vlug in en uit lopen als zij?'

'Ik geloof er niets van,' zegt Patrice.

'Ik kan het van de anderen ook niet geloven. Dineesha?'

'Dat slaat nergens op.'

'Banion werkt al negen jaar voor me. Marcus – ik weet wel dat mensen je voor verrassingen kunnen stellen, maar Marcus als computerexpert...'

'Nee,' zegt Patrice heel beslist over Georges gerechtsbode met het grijswitte haar.

'Nee.' Hij had dezelfde conclusie omtrent Cassie getrokken in zijn gesprek met Marina op het politiebureau, maar wilde er nog over nadenken. Hij zou niet weten welk motief ze zou kunnen hebben. Harrison heeft een zekere voorliefde voor practical jokes, en George vraagt zich af of dit misschien is begonnen als een flauwe streek, waar ze niet voor uit kon komen toen bleek dat niemand er de grap van inzag. 'Het moet iets als een psychiatrische stoornis zijn. Denk je niet? Een kwestie tussen haar en haar vader? Het slaat nergens op.'

Patrice kreunt. 'Wat ga je tegen Harry en Miranda zeggen?'

Bij wijze van antwoord maakt hij een soortgelijk geluid. Maar de rechter zal in elk geval zijn griffier aan de tand moeten voelen, al was het maar om haar tegen zichzelf in bescherming te nemen. Doordat Nathan Koll is bedreigd, kan George deze escapade niet zelf in stilte afhandelen. Bovendien zal Marina vanavond haar aantekeningen opnieuw doornemen en opmerken dat alleen Cassie erbij was tijdens die lunch van de balie. Zijn griffier zal morgen ontslag moeten nemen om Marina's ondervraging te ontlopen en om greep te krijgen op gebeurtenissen die haar uiteindelijk haar bevoegdheid kunnen kosten. Denkend als strafpleiter vraagt George zich al af hoe hij de plooien kan gladstrijken als Cassie vlot bekent. Hij kan het niet regelen zonder Rusty, maar hij kan er niet op rekenen dat Rusty hem zal helpen. We blijven allemaal in onze rol en Rusty is tenslotte als aanklager begonnen.

Even over halfnegen belt George Cassie thuis op. Iets dringends, zegt hij. Kunnen ze een ontbijtafspraak maken voor acht uur?

Natuurlijk vraagt ze door om erachter te komen waar het over gaat. 'Iets met Warnovits? Heb je eindelijk de knoop doorgehakt?'

'Dat is één ding,' zegt hij. Sinds hij vanmiddag Lolly heeft gesproken, lijkt de zaak voor het eerst minder op zijn eigen dosis jodium-131 die schadelijke straling door zijn lichaam verspreidt. 'Ik heb besloten dat ik zelf een concept wil schrijven. Een zaak als deze rechtvaardigt waarschijnlijk een wat langer betoog.' George is meestal kort van stof. In zijn onwrikbare visie moet een vonnis alleen datgene vermelden waarover uitspraak wordt gedaan, en dat in zo min mogelijk woorden.

'Wat heb ik verkeerd gedaan?' vraagt ze meteen. 'Het verjaringsaspect?'

'Je werk was uitstekend, als altijd. Ik weet zeker dat ik er veel van zal gebruiken en je om hulp zal vragen. Ik wil er alleen om te beginnen zelf aan werken.' Hij bedenkt dat dit een zinloze discussie is. Morgenmiddag zal Cassie vertrokken zijn.

'Waar wil je dan nog meer over praten?'

'Dat kan beter onder vier ogen.'

Ze zucht, met haar gebruikelijke gebrek aan ontzag, en suggereert daarmee dat ze George een onmogelijke man vindt.

'Waar?'

Over die vraag heeft hij vooraf nagedacht.

'Wat vind je van hotel Gresham?' Als Cassie een geweten heeft, en daar heeft hij nog alle vertrouwen in, zal ze zich daar slecht op haar gemak voelen en misschien eerder toegeven wat ze heeft gedaan. Haar tegenwerping is voorspelbaar: ze vindt het hotel te ver van het gerechtsgebouw.

'Het is de enige plek in de stad waar ik bacon eet,' zegt George. 'Met de hand gesneden en in Virginia gepekeld. Als je zondigt, Cassandra, ga je altijd terug naar je herkomst.'

George denkt pas bij het wakker worden aan zijn bewakingscolonne. Hij heeft geen politiebescherming nodig, omdat niet is aangetoond dat Cassandra zich met iets anders zou bezighouden dan psychologische oorlogvoering. Toch zal er waarschijnlijk iemand komen opdagen. Marina zal er wel moeite mee hebben te erkennen dat de zaak anders ligt dan zij steeds heeft gedacht. Maar er is een praktisch probleem: George heeft een lift nodig. Hij spreekt een bericht voor Marina in dat hij op eigen kracht naar het gerechtsgebouw gaat en belt een taxi, waarmee hij om halfacht arriveert bij hotel Gresham. In de overdadig versierde lobby die dateert uit de rijke jaren twintig, met marmeren zuilen zo dik als woudreuzen en een plafond vol goudverf en engeltjes, probeert hij zich te herinneren waar de Salon ook weer is waar het ontbijt wordt geserveerd.

Een gezette, vriendelijke vrouw in een blazer van de bewakingsdienst, met een wit oortje dat onder haar kapsel uit piept, komt naar hem toe om hem te helpen.

'U bent toch die rechter? Ik heb u laatst op tv gezien. Hoe gaat het ermee?'

In de afgelopen vierentwintig uur heeft hij vaak gemerkt dat er naar hem werd gestaard, wat hij als onprettig heeft ervaren. Zijn vader keurde het altijd af om de aandacht op jezelf te vestigen.

'Ik geloof dat het vanmorgen een stuk beter gaat met mijn arm.'

'Gelukkig. We hadden het gisteren allemaal over u. Toen ik dat op het nieuws zag, wist ik zeker dat ik u kende. U bent toch de rechter die hier vorige maand zijn mobieltje is kwijtgeraakt?'

Als hij knikt, begint ze te stralen, blij met haar uitstekende geheugen.

'U hebt het inmiddels wel terug, zeker?'

'Nee. Het is nog altijd weg.'

'Maar hoe kan dat nou? Ik dacht toch echt dat iemand van uw kantoor het was komen halen nadat Lucas het bij de Balzaal had gevonden. Is dat dan niet zo?'

Hij heeft al een tweede keer 'Nee' gezegd als hij beseft dat ze meer weet dan hij. Ze voert hem mee naar het kantoor van haar chef, een bezemkast waarvan de toegangsdeur kunstig in de donkere houten wandbekleding is weggewerkt, waar ze wachten tot haar chef, Emilio, de juiste ordner heeft gevonden. Wat hij de rechter aanbiedt is een roze doorslag van het formulier in drievoud dat wordt gebruikt voor gevonden voorwerpen. Op 26 mei, de dag nadat George zijn mobieltje is kwijtgeraakt, heeft John Banion ervoor getekend.

George heeft de portier al gevraagd een taxi voor hem te bellen, als hij aan Cassie denkt en haastig naar de Salon gaat. Op het fraaie servies staat een enorm cognacglas vol jus d'orange voor haar.

Hij heeft er geen vertrouwen in dat Cassie haar mond zal houden – dat kan ze helemaal niet – maar hij schaamt zich omdat hij haar heeft verdacht, en het beste excuus voor de afspraak hier is het roze formuliertje dat George, niet helemaal naar waarheid, beweert hier te hebben willen ophalen.

'Hmf,' zegt Cassie terwijl ze ernaar kijkt. 'Ik dacht al dat het John zou kunnen zijn.'

'O ja?'

'Pas sinds gisteren. Toen Marina je computer in beslag kwam nemen.'

'Daar heeft ze niets over gezegd,' zegt de rechter knorrig, hoewel hij moet toegeven dat het voor de hand ligt dat ze het apparaat nodigt heeft als bewijsmateriaal.

'John kwam binnen om haar te vragen waar ze mee bezig was en waarom. Dat vond ik vreemd. Nog vreemder.' Ze schudt haar korte blonde haar. 'Eerlijk gezegd, George, heb ik me altijd afgevraagd of die man misschien in het geniep een bijlmoordenaar is.'

'O ja? Ik dacht alleen dat hij vreselijk eenzaam was, Cassie.'

Ze haalt haar schouders op. De onaangepaste, onhandige mensen van deze wereld zijn niet zo zeer beneden haar waardigheid, ze zijn onbegrijpelijk. Maar George heeft vertrouwen in Cassie. Ze heeft een oneindige sympathie voor de rechtelozen. Mettertijd zal ze beseffen dat het lijden vele gezichten kent.

'Ik vraag me af of je enig idee hebt van zijn motief,' zegt George.

'Hij mag me niet erg.'

'Je gaat weg.'

'Precies.' Ze haalt weer haar schouders op. 'Het is heel vervelend, George. Maar iemand als John: ik vraag me af of hij echt beseft hoe griezelig dit voor jou is geweest. Weet je, voor jou als rechter, als rots in de branding. Ik denk niet dat hij dat beseft.'

Hun borden worden voor hen neergezet. Door hun ontbijt en de treurige waarheid omtrent Banion vallen ze stil.

Terwijl ze beginnen te eten, zegt Cassie opeens: 'Ik had moeten weten dat je het niet meende wat je zei over oude zonden.' Zijn hart krimpt even omdat hij verwijten verwacht over zijn gebrek aan vertrouwen in haar, maar ze wijst naar zijn bord. 'Geen bacon,' zegt ze.

20

VERGIFFENIS

Wanneer de rechter en Cassie even over negenen binnenkomen, zijn er twee problemen. Het eerste is dat hij geen computer heeft. Het tweede is dat John, die om acht uur altijd al zit te werken, niet is komen opdagen.

Er komt uiteindelijk iemand van systeembeheer die hem bezweert dat wat ze bij zich heeft een kloon is van het apparaat van de rechter. Natuurlijk loopt hij vast zodra de jonge vrouw haar hielen heeft gelicht. George zit nog te sakkeren als Dineesha de komst van John aankondigt.

George betwijfelt of Dineesha echt weet wat er gaande is – hij heeft Cassie een zwijgplicht opgelegd en zelfs zij zal dat niet zo gauw vergeten zijn – maar Dineesha is sensitief genoeg om aan te voelen dat het rommelt in hun wereldje, zeker nadat de rechter al een paar keer heeft gevraagd waar John blijft. Met een merkwaardig formeel gebaar laat ze John binnen; haar ronde gezicht staat ernstig.

Het typeert John dat hij de rechter niet kan aankijken. In plaats daarvan reikt hij hem een envelop aan.

'Wat is dat?' vraagt George.

'Ik heb besloten ontslag te nemen, meneer. Aan het einde van de termijn.'

George aarzelt om de envelop aan te nemen, omdat hij nog een heel klein beetje hoop heeft dat zijn verdenking tegen John net zo ongefundeerd is als die tegen Cassie, weer zo'n onjuiste inschatting op een indrukwekkend lang geworden lijst. Maar de betekenis van Johns wens om te vertrekken lijkt zonneklaar: het zoeken naar de Fanaat is voorbij. Het blijft stil tussen hen beiden. Het zou een geladen stilte kunnen zijn, maar George heeft altijd zulke ogenblikken met John gekend. In Johns gezelschap is de vraag wie geacht wordt iets te zeggen een even groot mysterie als het begin van de tijd.

'Dat is erg teleurstellend, John. Ga alsjeblieft even zitten,' zegt de rechter. Banion heeft de brief neergelegd op Georges bureau en heeft al een stap in de richting van de deur gedaan. 'Wat zijn je plannen?'

Aan het ontbijt heeft George tegen Cassie gezegd dat hij zelf de zaak met John wil uitpraten voordat hij Marina inschakelt. Maar nu weet hij niet goed wat hij daarmee dacht te bereiken. Hij is er nooit van overtuigd geweest dat het afleggen van een bekentenis goed voor de ziel is. Zonder compensatie is het in de wereld van het recht zelden voordelig; heel veel cliënten van George hebben zichzelf geen dienst bewezen door bij hun aanhouding direct te bekennen wat ze hadden gedaan. Hij voelt er ook niets voor om Banion onder druk te zetten tot hij met de waarheid komt. Cassie heeft er de vinger op gelegd. Het is vrijwel zeker dat Johns daden zijn voortgekomen uit zijn isolement, zijn onvermogen de betekenis van zijn handelingen voor iemand anders te bevatten. Dat is natuurlijk de emotionele synopsis van elk misdrijf. Daarom bevat elk misdrijf een pathologisch element.

'Ik heb niets, meneer. Nog niet. Er is een vacature voor een griffier bij het hooggerechtshof van Alaska waarvoor ik een advertentie heb gezien. Misschien ga ik daarop reflecteren.'

'Alaska? Kun je nog verder weg? Ben je op de loop voor iemand?'

Elke strafpleiter is op bepaalde momenten geneigd te geloven dat hij een acteur is die op Broadway thuishoort, maar George heeft in de rechtszaal ontdekt dat hij een beperkt repertoire heeft: stille minachting voor leugenaars, een innemende waardigheid als hij jury's dringend verzoekt om vrij te spreken. Maar hij is er nooit goed in geweest emoties uit te dragen die hij niet echt voelt, en ook nu lukt hem dat niet. Bij zijn laatste woorden slaagt hij er niet in John overtuigend toe te lachen. In plaats daarvan komen zijn woorden eruit met een beschuldigende ondertoon, en meer heeft John niet nodig. Het zachte gezicht van de tweeënveertigjarige John zakt in als een rottende appel; hij wordt rood en begint net als Georges zoons vijfentwintig jaar geleden onbeheerst te huilen, wat dezelfde schuldige, verwarde respons oproept als indertijd, waardoor George plotseling buiten zijn comfortabele positie in de wereld van het volwassen recht staat.

'Dat ben ik niet,' zegt John dan. 'Dat ben ik niet.'

Ondanks alles voelt George weer hoop.

'Wie dan wel?' vraagt hij. Maar John huilt zo hard dat hij het niet hoort.

'Het is niets voor mij om zoiets te doen, meneer. Echt niet. Echt niet.'

John moet de woorden twintig keer herhalen en gaat er nog mee door als George het eindelijk heeft begrepen en een paar keer heeft gezegd: 'Dat weet ik wel.'

'Ik begrijp alleen niet waarom, John.'

Banion uit een kreet van smart. 'Daarom juist,' zegt hij en begint weer te snikken.

'Waarom dan?'

'Omdat u het niet begrijpt.'

'Wat begrijp ik niet?'

'Ik moest er van u naar kijken!' zegt John, en de emotie geeft hem nieuwe kracht. 'Ik moest naar die afschuwelijke band kijken. Zelf kon u dat niet en daarom moest ik er van u naar kijken. Ik! Tien keer, twintig keer, om al die verschrikkelijke dingen te kunnen beschrijven. Het was weerzinwekkend!' Banion spreekt het laatste woord zo heftig uit dat hij spuugt. Ineengezakt in de zwarte houten leunstoel voor het bureau van de rechter is hij een spuwend, sidderend, huilend hoopje mens. Zijn huid heeft de kleur van een zonsopgang en zijn gezicht is nat tot aan zijn kin. George ziet hem met nieuwe ogen, maar niet omdat hij huilt – je kon niet met John omgaan zonder zijn verdriet te voelen. Het is de kracht van Johns woede die schokkend is.

'Hoe kon u me dat aandoen?' John schreeuwt het zowat uit. Ook dat is iets nieuws. 'Zíj hoefde het niet te doen. Maar ík? U hebt me niet eens gevraagd of ik er bezwaar tegen had. En u zei dat ik telkens weer moest kijken.' 'Zij' is natuurlijk Cassie. En Banion heeft gelijk, hij heeft in veel opzichten gelijk.

George slaat de handen voor zijn gezicht en blijft zo een poosje zitten, dan richt hij zijn blik op de kruinen van de bomen die vier etages lager langs de snelweg staan. Hoe gelijkmoedig en vriendelijk hij ook wil zijn, in navolging van Christus leven zoals zijn vader hem heeft voorgehouden, toch kent hij zichzelf goed genoeg om te hebben voorzien dat zijn reactie op John boosheid zou zijn. Erger nog: razernij. De treurige man die in die stoel zit te huilen heeft het vertrouwen van de rechter geschonden, ook al door zich te laten kennen als een volslagen gek. En hij heeft bovendien een ernstig misdrijf begaan, door chaos te brengen in het leven van George, in een tijd dat hij het toch al zwaar te verduren had.

Maar van die gevoelens merkt hij weinig. In plaats daarvan zoekt hij, als zoon van zijn vader, de schuld bij zichzelf. Want hij heeft ernstig gefaald. Zijn eigen geheime crisis vrat zo aan hem dat hij naar een uitweg zocht, zonder aan iets anders te denken. Wetend hoe onthutsend die beelden waren, heeft hij ze John opgedrongen zonder zich ook maar een moment af te vragen wat de gevolgen zouden kunnen zijn. En de rechter ziet de grimmige ironie van zijn tekortkomingen in. Tollend onder het gewicht van de slechte oude tijd is hij er niettemin de gevangene van gebleven; het was uit ouderwetse hoffelijkheid dat hij Cassie niet wilde vragen de taak op zich te nemen. En in werkelijkheid zou Cassie, zoals John kennelijk heeft beseft, er veel beter tegen opgewassen zijn geweest. Ze zou onder het kijken misschien niet haar nagels hebben gevijld of een zak popcorn in de magnetron hebben gelegd, maar Cassie is van zijn medewerkers in zekere zin de meest wereldwijze als het om de ware aard van vrouwen en mannen gaat. Ze zou verontwaardigd hebben gereageerd op de band en die zou haar hebben gesterkt in haar overtuiging welke afloop van de zaak de juiste zou zijn. Maar ze zou de band veel kalmer hebben verwerkt dan John, om één doorslaggevende reden: de band zou haar niet iets hebben verteld dat ze lange tijd niet over het menselijk universum had willen weten – of over zichzelf.

'En u wilt die jongens vrijlaten,' jammert John. 'U bent bereid toe te laten dat ze dat doen, al dat – hij zoekt naar een woord, maar kan niets vinden – 'al die vreselijke, vreselijke dingen, en u wilt ze laten gaan terwijl ze gestraft moeten worden.'

'John,' zegt rechter Mason. Hij loopt om zijn bureau heen om de man te troosten, maar durft niet verder te gaan dan een schouderklopje. 'John, je had iets moeten zeggen.'

'Dat was nog erger!' John haalt gierend adem en huilt nog luider. 'Meneer,' zegt hij, 'meneer, ik wilde u niet teleurstellen.'

Hoe redelijk zijn mensen eigenlijk? vraagt George zich af. Wij allemaal. Ieder van ons. De ijzeren logica van het recht, die George onbekommerd heeft verkondigd, wil dat John iets had moeten zeggen. Maar wie zich Johns situatie ook maar een ogenblik indenkt, beseft hoe onmogelijk dat was. Kon de eenzelvige John Banion, zo geschokt en ontdaan door wat die beelden bij hem teweegbrachten, kon zo'n man dat tegenover een ander toegeven? Geen wonder dat hij er zeker van was dat de rechter in hem teleurgesteld zou zijn.

En dan was er nog een probleem: als John iets had gezegd, had hij niet meer naar de video kunnen kijken.

'John, het spijt me verschrikkelijk,' zegt de rechter en het treft hem dat hij het meent uit de grond van zijn hart. Dit is duidelijk het ergste van de zaak: in zijn blindheid heeft George een buitengewoon nuttig mens in de vernieling geholpen. Als hij aan zichzelf was overgelaten had John misschien kunnen blijven vermijden wat de rechter hem heeft gedwongen onder ogen te zien. 'Het spijt me echt heel erg, John.'

Hij beseft dat hij waarschijnlijk nooit de juiste woorden zal kunnen vinden, maar door zijn verontschuldiging begint John weer te brullen.

'Doe niet zo edel!' schreeuwt hij. 'U wilt altijd de beste mens zijn. Ik ben degene die spijt heeft.' De cyclus die hij hier nu doorloopt heeft zich ongetwijfeld wekenlang privé afgespeeld: verontwaardiging gevolgd door schaamte. Banion stort zich in een nieuwe langdurige huilbui en dan kijkt hij, met zijn vlekkerige gezicht en tranende ogen, plotseling voor het eerst George recht aan.

'Vergeef me,' zegt hij. 'Wilt u het me alstublieft vergeven? Kunt u het me vergeven, meneer?'

Vergiffenis, denkt George. Een bekentenis alleen is misschien niet goed voor de ziel. Maar vergiffenis is dat wel. Het is zoiets ijls en eenvoudigs dat hier wekenlang heeft rondgewaard, als een hunkerende ziel.

'Ik vergeef het je, John,' zegt hij. 'Ik vergeef het je, ik meen het.' Hij geeft John nog een schouderklopje. Banion, in de stoel, schudt zijn dunne bruine haar.

'Ik ben hier niet goed in,' zegt hij tegen de rechter.

'Waarin?'

Banion huilt en huilt voordat hij eindelijk zegt: 'Een mens zijn.'

21

HET OORDEEL VAN HET HOF

Rolnummer 94-1823
BIJ HET HOF VAN BEROEP
VAN HET DERDE DISTRICT

De Staat	)	In hoger beroep van de Rechtbank van Kindle County
tegen	)	
	)	
Jacob I. Warnovits	)	
Kellen Cook Murphy	)	
Trevor Witt	)	
Arden Van Dorn	)	

Oordeel gewezen door Mason, Purfoyle en Koll, rechters
Vonnis gesteld door rechter Mason, die als oordeel van het Hof geeft:

Deze zaak is door het Hof in behandeling genomen nadat beroep is aangetekend door de vier verdachten tegen hun veroordeling van verkrachting en de daaruit voortvloeiende strafoplegging van zes jaar hechtenis, gewezen door de Rechtbank van Kindle County. Op de hierna genoemde gronden bevestigt het Hof de uitspraak van de Rechtbank.

Zoals misdrijven zo vaak doen heeft deze zaak hartstochtelijke reacties opgeroepen, intens verdriet teweeggebracht en levens ontwricht. In de kern vraagt de zaak van ons heroverweging van een kwestie waarmee het recht zich al lange tijd heeft verstaan: hoe lang, en onder welke omstandigheden, straf mag worden uitgesteld eer de balans van het recht doorslaat naar de andere kant.

[*Cassie, wil je hier uit je concept het Overzicht van Feiten invoegen.*]

De wet omtrent verjaring in onze staat kent in het algemeen een stuitende werking op vervolging van een misdrijf als na het begaan ervan drie jaren zijn verstreken. [*Cassie, vul hier alsjeblieft de betreffende artikelen in.*] In de pleitnota's van de raadslieden wordt uitvoerig ingegaan op de traditionele beleidsoverwegingen die, zo valt uit de schriftelijke verslagen van de beraadslagingen op te maken, van invloed lijken te zijn geweest op onze wetgeving bij het opstellen van deze wet: de erkenning dat het geheugen van getuigen door het verstrijken van de tijd verslechtert; dat een verweer moeilijker valt op te stellen naarmate bewijsmateriaal verder verspreid raakt; en dat voortvarende vervolging de afschrikwekkende werking maximaliseert en voorkomt dat langdurig genegeerde vergrijpen om onjuiste motieven worden opgerakeld. Zie onder meer *Toussie tegen Verenigde Staten*, 397 VS 112, 114-115 (1970).

Maar, zoals de eminente rechter Oliver Wendell Holmes jr. ons lang geleden heeft voorgehouden: 'Wat het recht doet leven is niet logica geweest, het is ervaring geweest.' [*Wil je citaat controleren en herkomst:* The Common Law?] Wettelijke regelingen omtrent verjaring erkennen ook dat mensen mettertijd veranderen. Geen van de vertrouwde doelstellingen van het strafrecht - onmogelijk maken, afschrikken of vergelden - wordt ten volle gediend door het straffen van diegenen die na hun misdrijf lange tijd een voorbeeldig leven hebben geleid, reden waarom de wet hun toestaat verder te leven zonder vrees voor mogelijke vervolging. [*Cassie, vermeld de zaak-Marion en de commentaren daarop uit Sappersteins pleitnota.*]

Beoordeling van de precieze omstandigheden waaronder vervolging wordt gestuit door het verstrijken van de tijd is aan de wetgever. Dit Hof heeft slechts tot taak aan de tekst van het bepaalde de betekenis te verlenen die de wetgevers beoogden. [*verwijzingen naar zaken*]. Onze wetgevers hebben vastgelegd dat de beperkende tijdspanne van drie jaar vervalt indien door actief handelen van een verdachte om te voorkomen dat zijn misdrijf bekend wordt, het vergrijp onbekend blijft. [*noem artikel*] De verdachten voeren aan dat deze bepaling onjuist is toegepast in deze zaak. Zij erkennen dat het slachtoffer bewusteloos was toen het misdrijf tegen haar werd begaan, maar zij houden staande dat zij uit haar lichamelijke toestand na afloop voldoende kon afleiden om de autoriteiten te laten weten dat zij was verkracht. De gewetensvolle rechter in eerste aanleg, die de verklaringen over deze kwestie heeft gehoord, heeft dit pleit afgewezen. Naar zijn oordeel hebben verdachten, in het licht van de leeftijd en de onervarenheid van het slachtoffer, door hun verhullende handelwijze het slachtoffer een afdoende grondslag ontnomen om een geloofwaardige verklaring bij de autoriteiten af te leggen. Verdachten beoordelen die conclusie als een gerechtelijke dwaling die tot herziening moet leiden en wijzen erop dat een andere beperkende bepaling specifiek betrekking heeft op minderjarige slachtoffers, en dat die bepaling zou hebben verhinderd dat deze vervolging werd ingesteld. Zij stellen dan ook dat de leeftijd van het slachtoffer hier geen overweging vormt.

De voorliggende vraag is niet eerder beoordeeld door de hogere rechtsinstanties in deze staat. Niettemin zien wij niet in hoe een rechter in eerste aanleg kon bepalen of de verhulling door de verdachten de onthulling van hun misdrijf heeft belet in de overweging alle bijkomende feiten te betrekken, met inbegrip van de leeftijd en ervaring van het slachtoffer. Het is een oude rechtsregel dat verdachten hun slachtoffers moeten nemen zoals zij zijn [*verwijzingen*]. Deze verdachten waren zeer wel op de hoogte van de leeftijd van hun slachtoffer en de bijzondere voordelen die haar gebrek aan ervaring hun zou kunnen bieden bij het verhullen van hun misdrijf.

Wij worden gesterkt in onze interpretatie van de wet op de verjaring door een andere overweging. Als verzachtende omstandigheid voeren de verdachten ter zake aan dat het slachtoffer niet de ernstige psychologische belasting van verkrachting heeft gedragen omdat zij ten tijde van het misdrijf in bewusteloze toestand verkeerde. Dit argument wordt niet slechts ondergraven door de vermetele aard ervan maar ook door het feit dat het te veel aantoont. Wij hechten geloof aan de verklaring van het slachtoffer dat haar, als iemand die nog steeds niet ouder was dan negentien en verre van ervaren in het leven, aanzienlijk leed is berokkend toen zij ten slotte werd gedwongen tot de confrontatie met wat vier jaar eerder was gebeurd. In feite was daarmee het misdrijf van de verdachten pas op dat ogenblik voltooid. Wij zijn ervan overtuigd dat de motieven van de wetgever bij het opstellen van deze uitzondering op de verjaring moeten zijn gericht op die delicten waarvan het kwaad pas ten volle wordt gevoeld na de ontdekking.

Wij hoeven ons in deze zaak niet af te vragen hoe lang vervolging zou moeten zijn belemmerd voordat de grenzen van de goede rechtsgang tot een ander gevolg zouden hebben genoopt [*verwijzingen*]. Het voornaamste bewijs van het misdrijf, de videoband, berustte bij een van de verdachten tot de inbeslagname en geen van de verdachten voert aan dat de opname op enige wijze is aangetast.° Noch is bij een vervolging die drie jaar en tien maanden na dato van het misdrijf is aangevangen sprake van een zodanig tijdsverloop dat ze de rechtvaardigheid aantast die eraan ten grondslag moet liggen. In feite blijft het tijdsverloop ruimschoots binnen de grenzen gesteld door andere jurisdicties, met inbegrip van de termijn van vijf jaar die bij de federale gerechtshoven in acht wordt genomen. [*verwijzingen*]. Wij concluderen dan ook dat de vervolging tegen de verdachten is ingesteld binnen de tijdslimiet die de wet stelt.

[*Cassie: hierna jouw concept met mijn voorgestelde correcties.*]

°Mr. Koll huldigt op dit punt een afwijkende mening door te stellen dat de videoband niet als bewijs toegelaten had mogen worden uit hoofde van de in deze staat geldende afluisterwet. [*verwijzing*] Noch bij het Hof, noch bij de Rechtbank is dit argument ingebracht, reden waarom wij het niet uit eigen beweging in overweging kunnen nemen, omdat wij niet menen dat toelaten van de videoband, zelfs veronderstellende dat die afgewezen had kunnen worden, een gerechtelijke dwaling vormt. Wij worden tot deze conclusie gevoerd door de reële gevolgen van vernietiging op deze gronden. Onder onze verjaringsbepalingen zou de aanklager tot een jaar na dato van de vernietiging de verdachten opnieuw kunnen vervolgen wegens inbreuk op de afluisterbepalingen, aangezien die onderdeel vormde van hetzelfde criminele gedrag waarvoor zij oorspronkelijk waren veroordeeld. Aangezien de opname in die nieuwe zaak zou kunnen worden toegelaten, zou veroordeling vrijwel vaststaan. Wij achten het geen gerechtelijke dwaling dat de verdachten zijn veroordeeld wegens het ene misdrijf in plaats van het andere, vooral omdat het achterliggende seksuele misdrijf onmiskenbaar door de rechtbank als verzwarende omstandigheid kan worden aangemerkt, wat onvermijdelijk zou leiden tot een langdurige gevangenisstraf. Bovendien is het zeer waarschijnlijk dat, na het toestaan van strafvermindering of kwijtschelding van straf voor een of meer van de verdachten, een of meer van de overige verdachten zouden worden vervolgd inzake zowel overtreding van de afluisterwet als verkrachting, waardoor een nog langere straf mogelijk zou worden dan de in dit geval opgelegde. Een verdachte die daarmee zou worden geconfronteerd, zou ongetwijfeld terugkeren naar dit hof om te klagen over de gerechtelijke dwaling die door onze bemoeienis zou zijn ontstaan.

George heeft dit allemaal met alleen zijn linkerhand getikt. Hij heeft even geprobeerd zijn rechterarm uit de mitella te halen, maar na enkele aanslagen schoot de pijn al naar zijn elleboog. Hij pakt het concept van de printer en loopt naar Cassie in het kantoortje van de griffiers. Ze eet een appel en hapt er nogmaals in terwijl ze de eerste pagina bekijkt.

'Verbaasd?' vraagt George.

'Ik wist dat wat je ook zou beslissen juist zou zijn.'

Dat vat hij als een compliment op. Hij vraagt haar het concept voorrang te geven, zodat ze het morgen naar Koll en Purfoyle kunnen doorsturen, in de hoop voor het einde van de week het vonnis te kunnen indienen.

'Klaar voordat ik vanavond wegga,' verklaart ze zelfverzekerd en wrijft zich in de handen.

De aanblik van Johns lege bureau tegenover dat van Cassie blijft veelzeggend. John is nu drie uur weg. Dineesha heeft hem geholpen alles in dozen te doen. George is langs geweest om Johns slappe hand te drukken, een gebaar dat de rechter passend leek na negen jaar van samenwerking. Zowel de rechter als de griffier was aangeslagen door hun confrontatie van een uur geleden, en ze wisten geen van beiden wat ze moesten zeggen.

'Wat gaat er nu met mij gebeuren?' vroeg John ten slotte bij de deur.

Dat was geen gemakkelijke vraag. Voor wat er moet gebeuren geldt hetzelfde als toen hij nog dacht dat Cassie de schuldige was: George kan hier niet zelfstandig een streep onder zetten. Marina, de regiopolitie, de FBI en de tuchtcommissie van de balie moeten allemaal worden ingelicht. Er hangt John een gevangenisstraf boven het hoofd en permanente schorsing door de tuchtcommissie. Nu zijn hooggelopen innerlijke dramatiek tot de wereld van oorzaak en gevolg is doorgedrongen, leek Banion volkomen de weg kwijt.

'John, ik vrees dat je een advocaat moet zoeken,' heeft de rechter gezegd. En dat advies is jammer genoeg zijn feitelijke afscheid geworden.

Nu hij klaar is met de zaak-Warnovits en met zijn kwelgeest, voelt George zich zoals hij zich jaren geleden voelde bij de te zeldzame gelegenheden dat hij een vrijspraak had bereikt. De aanblik van een cliënt die zijn vrijheid had herkregen na de intense geestelijke beproeving en lichamelijke inspanning van het proces trof hem niet als blijk van gerechtigheid – te vaak wist George dat de man schuldig was – maar als bewijs dat hij door zijn inzet iets had weten te bereiken. In die stemming werd hij een wervelwind van energie die in staat was de bergen werk te verzetten die hij tijdens het proces had verwaarloosd.

Nu danst hij naar beneden, naar de centrale griffie.

'Ik wil een verzoek tot verlenging indienen,' zegt George tegen de ambtenaar. Hij vult ter plekke het formulier van één pagina in, vraagt om twee kopietjes en brengt er een naar de secretaresse van de primus. Rusty ziet George in de deuropening staan en nodigt hem uit in zijn ambtsvertrek.

'Twee keer goed nieuws op één dag,' zegt de primus, met het verzoek in de hand.

'Wat is er nog meer gebeurd?'

'Nathan Koll stapt op aan het einde van de termijn.'

'Dat meen je niet.'

'Hij zegt dat geen enkele baan het waard is met de dood te worden bedreigd. Hij stond te tieren alsof het mijn schuld was. Wou dat ik politiebescherming regelde.'

'Denk je dat hij de politie zou laten weten waar hij woont, of alleen zou vragen een mijl in het vierkant af te grendelen?'

Ze lachen om Nathan.

'Ik ben bang dat hij minder te vrezen heeft dan hij denkt, Rusty.'

Terwijl George hem uitlegt hoe het zit, laat de primus zich in zijn stoel vallen.

'Wel verdomme!' zegt hij ten slotte. 'Hoe haalt hij het in zijn hoofd!'

'Het gebruikelijke bizarre verhaal,' antwoordt George. 'Hoe langer John naar de band keek, hoe meer hij zich opwond en hoe meer hij mij verweet dat ik hem daartoe had gedwongen. In die toestand verkeerde hij op een dag dat ik even van mijn plaats was; in een opwelling liep hij naar mijn computer toe en stuurde die e-mail naar een niet-bestaand adres, in het besef dat hij dan zou worden geretourneerd en op mijn scherm zou verschijnen.'

'Je moet betalen?'

'Ja, die. Daarna bedacht hij zich en werd bang dat hij zou worden betrapt. Hoeveel mensen hadden toegang tot mijn computer? Dus toen ik weer even weg was, wiste hij het oorspronkelijke bericht en de kopie in mijn uitvakje; en daarna wilde hij de aandacht afleiden van het bericht op mijn computer en stuurde het twee keer met zijn eigen computer naar een open server.

En dat was in feite de cyclus. Razernij, er iets aan doen, daar dan spijt van krijgen en bang zijn te worden betrapt. Natuurlijk werd ik aanvankelijk te zeer door Patrice in beslag genomen om er veel aandacht aan te besteden, waar John nog bozer om werd, waardoor zijn teksten steeds heftiger werden.'

'En waar was hij toen hij dat allemaal deed?'

'Hij zegt dat hij bijna alle berichten op kantoor vanaf zijn laptop heeft verstuurd, terwijl hij twaalf meter bij me vandaan zat.'

'Help me even,' zegt Rusty. 'Dit is toch de griffier die een van de eerste berichten heeft gezien en tegen jou zei dat je de beveiliging moest inschakelen?'

'Zeker, hij had het zelf verstuurd, en terwijl het bericht onderweg was op het internet, kwam hij mijn kamer binnen om mijn reactie te zien.'

'Maar waarom zei hij dat je Marina erbij moest halen?'

'Ten eerste was het juist zijn bedoeling dat ik bang zou worden. Hij moest reageren alsof we de wrekende gerechtigheid hadden aanschouwd. En wat kon een betere dekmantel zijn dan zelf roepen: bel de politie?'

Rusty snuift misnoegd. Mensen.

'De andere reden waarom John op tilt ging,' zegt George, 'was het idee dat ik die jongens misschien wel op vrije voeten zou stellen. Hij was uit op zeer forse straffen.'

'Leer mij een lesje,' zegt Rusty, 'door die anderen een lesje te leren. Wie zegt dat wraak zinloos is?'

De vrienden zitten inmiddels naast elkaar in houten

leunstoelen die midden in het enorme kantoor van de primus staan en grijnzen elkaar toe.

'Maar goed,' zegt George, 'terwijl ik hem opdrachten bleef geven in verband met de zaak, merkte John dat ik me zorgen maakte over het verjaringsaspect. Daar schijn ik tegen hem iets over te hebben gezegd op de dag van de mondelinge behandeling. Dat ontlokte hem die bedreiging met de dood. En na het overleg hoorde hij van Purfoyles griffier dat ik serieus leek te overwegen om te vernietigen. Dus voerde hij de spanning op door die e-mail naar mijn huis te sturen. Maar hij werd pas echt gek van een gesprek met mij. De man die hij ooit had bewonderd leek bereid de handlangers van de duivel vrijuit te laten gaan. Dus pakte hij het anders aan. Inmiddels had hij mijn mobieltje in handen.

'Hoe was hij daaraan gekomen?'

George vertelt dat hij zijn mobieltje waarschijnlijk heeft verloren in de gang naast de Balzaal van het Gresham. De volgende dag is het gevonden door de beveiliging, die Banion heeft gebeld omdat die een paar uur eerder namens de rechter navraag heeft gedaan.

'John zei dat hij telkens op het punt stond het ding terug te geven en te zeggen dat de mensen van het hotel het hadden gevonden, maar inmiddels verstuurde hij er al sms'jes mee. Ik ben ervan overtuigd dat hij, zodra hij het mobieltje had opgehaald, besefte dat hij een splinternieuw middel in handen had om me de stuipen op het lijf te jagen.'

De primus haalt peinzend zijn vingers door zijn grijze haar. 'Denk je dat hij stemmen hoort, Georgie?'

'Volgens mij is hij een eenzame man die het moeilijk heeft. En ik heb hem over de rand geduwd.'

'Vroeg of laat was hij uit zichzelf gegaan.'

'Dat weet ik gewoon niet.' Dat zal voor George altijd

het moeilijkst blijven. 'Hij zei tegen mij dat ik altijd de beste mens wil zijn.'

'Stel je voor,' zegt zijn oude vriend.

'En dat hij me niet durfde teleur te stellen.'

De primus slaat George een ogenblik gade. Zijn opgewekte stemming is nog niet weg, maar hij kijkt George scherp aan, met één oog dichtgeknepen, in plaats van te lachen.

'George, dit was niet jouw schuld.'

'Maar ik had...'

'Nee,' zegt de primus. 'Heiligheid is geen vereiste. Je hebt recht op je tekortkomingen.'

George zou meer kunnen zeggen. Maar Rusty, een strikte man van het recht, zal dit nooit anders willen zien dan vanuit het juridische perspectief: John is een misdadiger en ieder ander is onschuldig. De twee vallen even stil, verdiept in hun eigen gedachten.

'Juist,' zegt Rusty ten slotte. 'Ik begrijp waarom je griffier het gevoel had dat je hem misbruikte. Maar wat had hij tegen Koll?'

'O,' zegt George. Daar had hij niet meer aan gedacht. 'Hoe meer John zijn bedreigingen opschroefde, des te banger werd hij voor de gevolgen. Je kent het patroon: riskeren dat hij gepakt wordt, bang zijn dat hij gepakt wordt, bang zijn dat hij niet gepakt wordt. Mijn mensen wisten dat Marina en de FBI nergens kwamen met hun onderzoek. Maar de enige verdenking die ik haar had gevraagd stil te houden was die tegen Corazón – gewoon om hysterische reacties te voorkomen. Toen John bij dat gesprek met Marina aanwezig was, raakte hij ervan overtuigd dat hij ongestoord zijn gang kon gaan. Dus besloot hij de zaak verder uit te bouwen. Hij herinnerde zich dat Koll een van de rechters was geweest die Corazón hadden veroordeeld.

En gezien Johns ideeën betreffende revisie in de zaak-Warnovits, wilde hij Koll te grazen nemen.'

'Zo zie je,' zegt Rusty in zijn commentaar op de bedreiging van Koll, 'het is een natuurwet. Zelfs de builenpest heeft ook gunstige gevolgen gehad.'

'Maar nu probeerde John een bendelid na te doen. Daarom zag dat laatste sms'je er zo puberaal uit.'

'Hij had toch niets te maken met die boefjes in de garage?'

'Die toestand heb ik helemaal aan mezelf te wijten. Als ik alerter was geweest, had ik beseft dat die jongens het op me voorzien hadden.'

'Beloof je me dat je voortaan een rustig hoekje in een bar opzoekt om tot jezelf te komen, zoals gewone mensen?'

'Nee hoor. Ik houd het op de garage. Ik hoop op een forse letselschadevergoeding.' George tilt even zijn mitella op.

'Daar kun je in hoger beroep nog mee vastlopen,' waarschuwt de primus.

'Hoe dan ook, toen Marina mijn computer in beslag kwam nemen, was dat voor John blijkbaar een aanwijzing dat het om het allereerste bericht ging, en daardoor wist hij dat het afgelopen was.'

'Hoezo?'

'Omdat Marina zich zou concentreren op mijn mensen. Vroeg of laat zou ze, terwijl de verdenking op dat groepje viel, nogmaals nagaan hoe er naar het mobieltje was gezocht. En bovendien waren er geen knuppels en felle lampen voor nodig om John klein te krijgen.'

'Over Marina gesproken: heb je haar dit allemaal al verteld?'

'Ze heeft vier keer gebeld. Maar ik wil dat John eerst een advocaat heeft.'

'O, dank je,' zegt de primus, 'dank je wel. Ik wed dat ik eind van de week een brief heb liggen waarin hij ons allemaal een proces aandoet wegens vijandige bejegening op de werkvloer. Slavendrijver Simon Legree was een modelwerkgever, bij jou vergeleken, omdat je die arme John keer op keer hebt gedwongen naar die akelige band te kijken.'

'Denk je dat hij daarmee ergens komt?'

Rusty schudt meewarig zijn hoofd. 'Wie weet. We hebben mallotiger verweren gekend. Dus wat moet hij dan krijgen, meneer de rechter met het kleine hartje?'

'Ik zie niet in dat vervolging zinvol zou zijn. De man is tweeënveertig, hij heeft geen strafblad en hij heeft het hof uitstekende diensten bewezen. Ik hoop dat de aanklager genoegen neemt met een vervangende straf met psychiatrische behandeling.'

'En wat krijgen die jongens die je hebben overvallen?'

'Die jongens hebben hun tweede kans gehad. En hun tiende. En Banion heeft mijn arm niet gebroken. Of me met een pistool bedreigd.'

'En zijn schorsing?'

'Voor onbepaalde tijd. Tot zijn psychiater iets anders zegt. Denk je dat je daar allemaal steun aan kunt geven, Rusty? Ik weet zeker dat Marina de doodstraf wil.'

'Vast. Maar pas nadat je griffier een paar maanden in Abu Ghraib heeft doorgebracht.' Rusty staart peinzend voor zich uit. 'Je advies aan de aanklager is toch nog vertrouwelijk?'

'Ja.'

'En zijn schorsing, dat is een eenregelige vermelding in het termijnverslag van het hof. Niemand hoeft te weten waarom.'

'Precies. Waar denk je aan?'

'Dat John Banion volgens mij een bofkont is.'

'Waarom?'

'Ik wil hier absoluut geen ruchtbaarheid over. Geen woord. Ik zal Marina opdragen het onderzoek op te schorten. Ter wille van het hof. Wanneer Johns advocaat zich meldt, kun je tegen hem of haar zeggen dat hij moet proberen dit in het allerdiepste geheim te regelen met de aanklager en de tuchtcommissie. In de zin die je hebt voorgesteld. Met mijn instemming. Dat zal ik herhalen tegenover iedereen die het moet horen.'

'Dank je, Rusty.'

'Ik zou je mijn ring kunnen laten kussen, vriend, maar in feite doe ik dit voor ons allemaal. Ik wil niet dat Koll lucht krijgt van dit verhaal voordat de inkt goed en wel droog is op zijn ontslagbrief. En de gemeente beslist volgende week over Marina's verzoek om verruiming van het budget. Het is beter als de commissie niet bij nader inzien gaat denken dat die hele toestand over de Fanaat niets anders was dan melodramatisch gedoe, zodat het budget prima kan blijven zoals het is.'

'De wijsheid van de macht.' George komt overeind.

'Mag ik het vragen?'

'Wat bedoel je?'

'De zaak-Warnovits,' zegt Rusty. 'Staat de uitspraak vast?'

'Ik heb een concept.'

'Is er recht gedaan?' Na zijn uitbarsting van een week geleden wil Rusty liever niet rechtstreeks vragen of de uitspraak van de rechtbank wordt bekrachtigd of vernietigd voordat de zaak openbaar is gemaakt. George kiest ervoor geen antwoord te geven. In plaats daarvan legt rechter George Mason zijn goede hand op het hoofd van zijn vriend in een korte, wederzijdse zegen.

'We doen ons best,' zegt George. 'Meer kunnen we niet doen.'